LA SAISON DES NARCISSES

DJURA

LA SAISON DES NARCISSES

103, boulevard Murat – 75016 Paris

DU MÊME AUTEUR

Le Voile du Silence
Editions Michel Lafon, 1990

ISBN : 2.908652-69.2

A Riwan et Erhal,
mes deux fils

Me voici les bras chargés
De fleurs et de fruits parfumés,
Du jasmin, des figues et du laurier,
De la cannelle, de la menthe et de l'oranger,
De l'eucalyptus, de la grenade, une branche d'olivier...
Ma grand-mère Fatima les avait mis à mes pieds
Au milieu des histoires et des légendes
Quand j'étais encore bébé.
Elle disait : Ma fille, nous ne sommes là que pour transmettre.
Laissez-moi vous les offrir à mon tour dans ce couffin,
Celui qui m'a suivie tout au long de mon chemin.

Djura.

Djura

I

LES ÉTERNUEMENTS DU PROPHÈTE

A l'heure actuelle, dans notre pays,
une femme qui écrit vaut son pesant de poudre.

Kateb Yacine

Il est des êtres de mystère dont la parole donnée d'instinct, d'intuition, mais aussi de vérité, pénètre comme du miel dans les consciences et grave à jamais la mémoire. Setsi Fatima, en chantant une berceuse et en tapissant chaque jour mon berceau de narcisses, fit de ces fleurs aux corolles blanches le premier parfum profond et musqué que je respirai. Ces petites fleurs accompagnées de mots d'amour sont entrées dans la légende secrète de mon âme en l'imprégnant à jamais.

Les narcisses sont non seulement le parterre royal de mon enfance, mais aussi les fleurs odorantes, simples et sauvages que les femmes kabyles accrochent à leurs foulards pour fêter le printemps, sans savoir que dans la mythologie elles sont symbole de la fécondité.

Fleur aux multiples significations, le narcisse est « éternuement du Prophète » en Kabylie, alors que la poésie arabe voit dans sa hampe droite l'homme debout, le serviteur dévoué au service d'Allah.

Dans la Grèce antique, le narcisse représente la trilogie mort-sommeil-renaissance, trois mots qui ont une étrange résonance pour moi et semblent jalonner la vie, la mienne, la leur, celle des femmes de mon pays...

Mort par le deuil que j'ai fait de ma famille, sommeil par la longue léthargie qui a suivi la période la plus douloureuse de mon existence, renaissance par la vie retrouvée, par la force et l'énergie rassemblées, comme la jeune sève monte dans les branches au printemps quand, après l'engourdissement de l'hiver, reviennent les feuilles et éclosent les narcisses.

Bien sûr, Narcisse rappelle aussi ce jeune homme qui se noya dans l'eau qui reflétait sa propre image. Et là encore s'installe ce face-à-face silencieux ouvert sur les profondeurs du moi.

L'odeur entêtante de cette fleur que j'aime et que je fais mienne me transporte par-delà le temps et l'espace. Le souvenir prend forme, s'effacent alors les difficultés, les conflits et les drames ; le monde redevient beau et lisse. Me voilà dans ma Kabylie, petite fille de cinq ans, heureuse dans le soleil et la beauté sauvage de son village. En ces temps bénis, les plus belles fleurs du monde sont pour moi les narcisses qui poussent en désordre dans les plaines. Tout est aussi clair que ce ciel serein, aussi pur que les cimes blanches du Djurdjura. Et je cours me blottir dans les bras de Setsi Fatima...

Malgré toute sa beauté, ses longues tresses flamboyantes de henné et ses yeux turquoise, malgré sa gentillesse et son dévouement, Setsi Fatima fut répudiée par plusieurs maris, ne pouvant elle-même fonder une famille. Le malheur de la stérilité la poursuivra jusqu'au jour de ma naissance, qui deviendra le plus beau jour de sa vie. Ce jour-là, en effet, un miracle se produisit : celle que mon grand-père paternel avait choisie pour compagne après le décès de sa première femme eut pour moi une montée de lait, comme si elle venait d'accoucher... Son amour maternel s'étendait à tous les enfants du village, qu'elle avait mis au monde en coupant leur cordon ombilical.

Au moment où j'écris ces lignes, je regarde sa photo placée sur mon bureau. Elle veille sur moi, le jour comme la nuit. Elle semble me dire : « Tes misères sont terminées. » Elle me tend un petit bébé aux mains potelées, un nourrisson joufflu et presque blond. Ce bébé innocent, c'est moi. Elle me l'offre de ses deux bras affectueux... Je ferme les yeux et je crois serrer très fort ce bébé qui fut moi-même. Il entre en moi et me donne la paix.

Je regarde encore une fois celle qui m'a insufflé la joie de vivre, elle me sourit et son sourire me donne la force. Ce que certains lecteurs de mon premier livre, *le Voile du Silence*, ont appelé mon courage et mon énergie, c'est à elle que je les dois, c'est elle qui me les a transmis.

– Ma fille, nous ne sommes là que pour transmettre... me répétait-elle.

Cet être lumineux a semé en moi les germes de la persévérance et une inébranlable foi dans la beauté des choses. Quand la vie se fait trop lourde à porter, mon esprit s'en va retrouver Setsi Fatima. Je la revois, active et fébrile... Bien que d'un naturel calme et serein, elle se démenait sans cesse, dédaignant le repos et l'oisiveté. Une jarre pleine d'eau sur la tête, transportant des bûches pour l'hiver ou ramassant de l'herbe pour les bêtes, elle témoignait d'une belle ardeur. J'aimais l'accompagner lorsqu'elle s'en allait jardiner son potager. Elle me confiait alors :

– *Thibhirt am llufan* (mon jardin c'est mon bébé).

Puis elle levait les yeux très haut pour observer le ciel, mais sous le soleil ou sous la pluie, sous la grisaille ou sous le vent, c'était toujours pour elle le temps de se mettre à l'ouvrage. D'un pas allègre, me prenant la main ou me balançant sur son dos, elle se dirigeait vers son enclos. En chemin, elle évoquait les anges de la force, les anges de la récolte. « Fortifie-moi, mon Dieu, et donne-moi en abondance pour que je puisse donner à mon tour », chantait-elle... A mesure que nous avancions, elle psalmodiait des vœux pour attirer les bénédictions du ciel sur ses carrés de cardons et d'artichauts, sur ses tresses d'oignons, sur ses courges, sur ses colliers de piments, sur ses poivrons... Avec ferveur elle réclamait l'eau, l'eau de pluie et l'eau du puits, sans laquelle rien ne poussait.

Lorsque nous arrivions dans son petit domaine, je voyais s'épanouir le sourire de ma grand-mère. Elle saluait sa terre par trois fois et me chuchotait :

– Les jardins aiment les secrets et la politesse.

Elle posait l'index sur sa bouche : c'était ici un lieu saint que nous devions aborder dans le silence et le respect. Immobile, elle observait ses pousses préférées. Puis, relevant les pans de sa robe et posant délicatement ses pieds entre les plants, elle appelait « le gardien » de ses verdures :

– Je te remercie, ô gardien, toi qui gardes mon jardin de la main qui dépouille et des yeux envieux, protège-le contre le mauvais œil et fais que chaque jour je le voie changer et grandir à l'abri du mauvais sort.

Chez nous, la génération de ma grand-mère savait vivre en harmonie avec la nature. Elle attendait tout d'elle, mais pour cela il fallait travailler sans répit. Setsi Fatima répétait :

– Le jardin est comme le bébé, pendant neuf mois défais et refais le maillot.

Un jour, j'avais entendu une amie de ma grand-mère dire :

– La vie d'une femme, même un chien n'en voudrait pas.

Comme je ne comprenais qu'à moitié ces paroles, ma grand-mère me signifia que la femme n'a aucun répit du matin jusqu'à la nuit, ni pour ses mains ni pour ses pieds. Ça, je le comprenais très bien quand je voyais Setsi Fatima, après ses ablutions pour la prière, accomplir dès l'aurore et jusqu'au crépuscule ses multiples occupations. Elle sortait et revenait haletante, toujours chargée, et lorsque enfin elle s'asseyait, c'était pour égrener son chapelet et demander à Dieu de nous envoyer notre part de chance.

– Tout vient de la chance, disait-elle, à condition d'y ajouter l'effort.

L'effort, pour Setsi Fatima, était la chose qu'elle connaissait le mieux. Ne pouvant enfanter, c'est par l'effort, le travail et une attitude irréprochable qu'elle était parvenue à garder sa place dans la maison de son mari. Setsi Fatima était devenue avant ma naissance la poutre maîtresse du foyer, mon grand-père ayant mis toute sa confiance en elle. Elle le lui rendait bien en s'oubliant elle-même, consacrant ses forces à élever les enfants de son époux, à s'occuper de ce dernier et de la famille entière. Elle remplissait son devoir à la perfection, sachant malheureusement qu'elle ne pourrait pas offrir à son mari cette postérité tant désirée, qu'elle ne jouirait jamais de ce statut valorisant qui fait de la mère une déesse vénérée quand elle a atteint l'âge mûr et donné naissance à une progéniture abondante, mâle de préférence.

Alors que restait-il à Setsi Fatima ? La beauté, bien sûr. Les Kabyles sont sensibles à la beauté des femmes et particulièrement à leurs chevilles... Fatima en avait de très fines, joliment cerclées de bracelets qu'elle faisait tinter en marchant. Elle volait plus qu'elle ne marchait, d'ailleurs, d'un pas léger et décidé.

Elle possédait de plus cette qualité fort prisée : la droiture. Tout en elle respirait la retenue et le sens du devoir, ces attributs de la femme parfaite, de celle qui se dépense sans compter pour sa famille et s'oppose à la « paresseuse » qui ne vient pas à bout de son travail et ne sait pas tenir son foyer. Une femme telle que Fatima avait le pouvoir d'attirer sur sa maisonnée toutes les bénédictions, c'est pourquoi mon grand-père décida de la garder comme épouse bien qu'elle ne pût accroître sa descendance.

Quiconque l'a connue la qualifiait de force de la nature et de protégée de Dieu. De bon matin, elle exécutait sans rechigner les besognes indispensables : laver la vaisselle, balayer, secouer la literie, laver le linge, se rendre plusieurs fois à la fontaine pour y remplir les jarres d'eau, surveiller les enfants, les nourrir, faire leur toilette, ranger la maison, mettre chaque chose à sa place, tout faire briller pour le retour du mari, préparer la galette et le couscous du soir, s'occuper des travaux des champs et rentrer à temps, car l'homme devait trouver sa femme à la maison et la marmite sur le feu. Setsi Fatima savait faire de son intérieur un havre de paix, chaleureux et accueillant. Malgré toutes ses occupations, elle parvenait à dérober quelques instants en fin de journée pour se laver et s'habiller afin d'illuminer son foyer comme une lampe neuve et étincelante.

– Les anges sont avec moi, disait-elle, je travaille, ils font le reste.

Quand celui pour qui elle avait sacrifié le printemps de sa vie rentrera et trouvera sa demeure rutilante, la joie inondera le cœur de Setsi Fatima. Elle lui présentera l'eau de ses ablutions et la nourriture du soir... alors Setsi Fatima sera heureuse.

Aujourd'hui, je me demande si elle l'était réellement, ou si elle se contentait de répandre le bonheur autour d'elle.

Peut-on passer sa vie à servir et être pleinement satisfaite ? Je crois que oui. Cette femme trouvait sa joie dans le fait de donner, et en cela elle reste pour moi un exemple.

***

Souvent, sous le ciel de Paris, je songe à Ifigha et je m'échappe par la pensée vers mon village natal. Alors je revois, vivante et réelle, cette petite société constituée de ses marabouts mystérieux, de ses vieilles énigmatiques, de ses jeunes femmes aux robes multicolores, de ses hommes rudes au visage tanné... Le passé resurgit et s'ouvre sur le temps du bonheur, celui où la vie s'offrait comme une promesse. Ce passé est si ancré dans ma mémoire qu'il m'est impossible de repenser à la Kabylie sans que défilent devant mes yeux les paysages gigantesques, les panoramas grandioses, les champs d'oliviers et de figuiers à perte de vue, la lumière éblouissante. Les émotions reviennent et j'entends la voix haut perchée des femmes qui accompagnait leurs embrassades, je revois leur façon de se saluer en se baisant la main en un geste noble et raffiné.

J'ai commencé à grandir sur cette terre dont je ne puis oublier le goût du raisin que je cueillais moi-même devant la porte de notre maison, le thé de Setsi Fatima parfumé à la cannelle, la galette de semoule pétrie par ses mains, l'odeur du jasmin, les colliers de girofle des jeunes mariées... Je revois aussi les gandouras blanches chargées de galons colorés que ma grand-mère faisait coudre à mes mesures et qu'il me fallait ensuite piétiner symboliquement, en un rituel qui enseignait à la petite fille que j'étais la véritable valeur des choses : la vie et la santé sont plus importantes que les biens matériels, me disait-on ainsi.

– Use ta gandoura avant qu'elle ne t'use, répétait ma grand-mère.

Toutes ces jeunes années passées à ses côtés m'ont imprégnée d'amour et d'une joie ineffaçable. A l'âge de cinq ans, j'abandonnai tout cela derrière moi pour venir en France avec mes parents. J'ai alors été transplantée dans une chambre d'hôtel à Belleville, puis dans une cité d'urgence du XIIIe arrondissement de Paris et ensuite à La Courneuve, en banlieue, en passant par les rues du quartier Latin que j'arpentais après les cours de l'Ecole du spectacle.

Je ne savais pas, alors, que je serais une petite immigrée à cloche-pied sur deux cultures, deux pays, deux mondes. Je ne savais pas que j'allais me découvrir une vocation artistique qui m'amènerait à me battre sur deux plans : celui de la femme et celui de mes origines ; et que dans cette lutte je devrais affronter les miens pour pouvoir exister : pour contester d'une part mon éducation et d'autre part la société traditionnelle. Je ne savais pas alors qu'aimer un homme d'une autre origine signifiait braver la loi familiale, se dresser en traître, en rebelle, et en subir les conséquences. Je ne savais pas que chanter la richesse et la beauté des monts du Djurdjura et de mon pays serait un flambeau lourd à porter, une liberté chère à payer, une fierté et une différence dérangeantes, un épanouissement difficile à conquérir.

Et par-dessus tout, je ne pouvais imaginer qu'un être chéri et dorloté à qui j'avais donné le biberon viendrait un jour me menacer d'un revolver alors que je serais enceinte de sept mois ! Même si aujourd'hui je veux tourner la page, je demeure marquée par ce 29 juin 1987, ce jour où mon propre frère et ma nièce m'agressèrent sauvagement, faisant couler le sang sur la péniche où j'habitais avec Hervé, mon mari.

Cet après-midi d'été, je portais une robe kabyle jaune à fleurs qui dissimulait mon ventre rond. J'étais heureuse de pouvoir enfin fonder une famille et donner naissance à un petit être qui occupait toute la place à l'intérieur de moi. Je le sentais remuer, me donner des coups de pied. J'étais bien. En harmonie avec la vie et confiante dans l'avenir.

Soudain, la porte s'ouvrit brutalement et la suite fut un cauchemar qu'il me semble inutile et vain de ressasser. Ce furent les instants les plus tragiques, les plus démoniaques, les plus dévastateurs de toute mon existence. Quelque chose se brisa en moi. Plus rien n'avait d'importance que de sauver mon bébé des coups de mes agresseurs. Je revois mon mari, le visage ensanglanté, je me revois sur mon lit d'hôpital, risquant de perdre mon enfant. J'allais passer les deux mois qui me séparaient de mon accouchement à craindre le pire...

Heureusement, mon fils naquit à terme et en bonne santé. A la minute où il est né, je lui ai chanté en berbère ma joie d'être mère, comme j'aurais voulu que ma mère le fît pour moi à ma naissance. Elle s'était abstenue. Il est vrai que je n'étais pas un garçon, et que dans mon village natal, on ne chantait guère l'arrivée des filles...

En serrant dans mes bras ce petit garçon mi-breton mi-berbère, fruit d'une intégration que les sociologues considéreraient sans doute comme parfaitement réussie, je me disais avec nostalgie que tout le monde aurait dû se réjouir, ma mère en premier lieu, dont l'amour me manquera toujours et à qui j'offrais un petit-fils. Mais entre les espoirs de la sociologie et la réalité, il y a encore, parfois, des années-lumière à franchir, et le souvenir de l'expédition « punitive » dont j'avais été l'objet continuait de me harceler.

Car il s'agissait bien de cela : j'avais été châtiée pour avoir pris ma liberté, épousé un Français et eu un enfant de lui. J'avais osé enfreindre la tradition, ou du moins ce que l'on croit être une « tradition » : l'éternelle soumission des filles aux hommes de leur clan.

Je croyais pourtant avoir tout surmonté, les péripéties du racisme ordinaire aux alentours des cités dites d'accueil, la violence de mon père, désormais disparu et qui avait voulu me marier contre mon gré à quinze ans, l'autorité farouche de mon frère aîné qui avait pris le relais, là-bas en Algérie. J'avais réussi à poursuivre mes études, à monter un groupe où je pouvais célébrer en chansons et en gestes les éblouissements des monts du Djurdjura et les souvenirs colorés de mon enfance kabyle, j'étais parvenue – aussi – à venir en aide aux miens. Eprise d'un Français, j'avais alors rêvé d'une famille unie autour de mon bonheur et voilà qu'elle s'unissait, en effet, mais contre moi, contre mon désir de vivre à l'aise en assimilant deux cultures, deux mondes faits pour s'enrichir mutuellement et non pour se figer, chacun chez soi, dans une stérilité haineuse.

De cela on me punissait, et « l'exemple » de la péniche semblait ne pas devoir suffire. Je continuais à être harcelée de coups de fil et de menaces plus ou moins anonymes. Il me fallait trouver un refuge, afin de préserver mon enfant. Aussi, après le drame, avons-nous amarré notre péniche dans le calme d'un petit port de banlieue. Le jour de notre arrivée, alors que le soleil brillait et que l'eau clapotait sur la coque, une famille de cygnes, glissant silencieusement sur la surface du fleuve, est venue nous saluer. La maman immaculée, majestueuse, suivie des petits encore tout bruns et qui barbotaient maladroitement, semblait m'inciter au calme.

C'est là, dans cette campagne paisible dont la tranquillité contrastait avec les tourments de mon âme, que je me suis mise à écrire. J'ai écrit pour me libérer d'un poids trop lourd, pour exorciser cette douleur en moi, guérir cette blessure, éviter la rancune et la haine. De plus, j'étais convaincue que cette confession pouvait se révéler utile. Je savais bien que ce n'était pas seulement ma vie qui se trouvait en jeu dans ce livre, mais celle de milliers de femmes souffrant encore, comme moi, d'une tradition mal vécue, maintenue dans l'exil et la modernité.

Le succès du *Voile du Silence* me conforta dans ce sentiment. Pour certains lecteurs, mon histoire ne figurait sans doute qu'un cas particulier; mais pour beaucoup de femmes maghrébines, il s'agissait de bien plus que cela. Mes pages représentaient soudain pour elles une petite lueur dans la nuit. Leurs angoisses, leur enfermement, leur asservissement et leur désir de révolte éclataient au grand jour. Ma parole, jointe à d'autres, parvenait à se faire entendre! Je recevais des centaines de lettres, témoignant toutes de la même émotion, emplies d'espoir, d'encouragements et de remerciements. Au cours de signatures organisées dans les grandes villes de France, je rencontrais régulièrement des jeunes filles ou des femmes dont la vie avait été gâchée par l'intolérance, au nom de principes désuets et dont l'application, d'ailleurs, s'est trouvée pervertie au fil des années. Car il y a chez nous la Loi, mais aussi la façon dont l'appliquent les hommes, en l'occurrence non l'ensemble des êtres humains, mais juste la moitié masculine. Nous aurons largement l'occasion de revenir, au long de cet ouvrage, sur ce dérapage historique...

Pour mieux propager cette nécessité d'une condition meilleure, je continuais mon chant de poésie kabyle et mon chant de combat, tant il est vrai que la réconciliation doit souvent passer par la lutte. Combien de fois, à la fin d'une représentation, un seul regard échangé m'a-t-il fait comprendre la douloureuse sympathie d'une spectatrice qui venait me féliciter! Combien de sœurs de larmes ai-je serrées dans mes bras, recueillant leurs confidences, le récit de leurs drames, leurs espérances déçues! Comme il y avait encore à faire...

On vantait mon courage, je l'ai dit, et certains se réjouissaient de ma « réussite » en librairie. Je souriais, fracassée de l'intérieur. Cette mise à nu de ma souffrance, en effet, n'avait pas suffi à la tuer. Les miens se rappelaient à mon souvenir en m'entraînant dans les méandres de procès aux multiples formes. Tous les prétextes étaient bons pour me traîner en justice. Aux prud'hommes, mes sœurs me poursuivaient en m'assimilant au rôle d'employeur au temps où elles travaillaient avec moi; devant le juge d'instruction, ma mère me reprochait d'avoir signé pour elle des papiers administratifs; tous ensemble, ils réclamaient ensuite en référé l'interdiction de mon livre puis des dommages et intérêts. Ma famille ne voulait pas lâcher prise et, là encore, je ne pouvais me libérer.

Ce harcèlement judiciaire n'empêchait d'ailleurs pas chez moi la crainte de nouvelles représailles. Même la présence de mon mari et de mon enfant ne parvenait pas à détourner de moi les fantômes qui ne cessaient de me torturer. J'étais épouvantée à l'idée d'une nouvelle agression, je ne pouvais regarder la porte par laquelle étaient entrés mon frère et ma nièce sans revivre l'horible scène. Je sursautais au moindre bruit, toutes les serrures étaient fermées à double tour, je ne sortais presque jamais mon bébé, la rue me terrifiait, je voulais rester cloîtrée, me coucher, me lover, jambes repliées comme un nouveau-né, retrouver le ventre de ma mère... ce ventre qui m'avait donné la vie, cette mère qui m'avait tout repris.

La peur ancestrale, lancinante, était entrée en moi. Comme au temps de mon adolescence à La Courneuve, je me retrouvais tremblante sous l'autorité des mâles de la famille. A cette différence près que du temps de La Courneuve, j'avais l'énergie juvénile suffisante pour braver ce pouvoir absolu. Désormais au contraire, l'agression m'avait laissée sans ressource, affectivement désarticulée, en proie à ce sentiment d'injustice où le fait de n'y rien comprendre ajoute encore à l'amertume. Je ne pouvais me résoudre à voir l'amour des miens se transformer en vindicte. A mes innombrables terreurs s'ajoutaient le désespoir de l'abandon et le refus d'un déracinement imposé.

Le déracinement... C'était peut-être cette étrange sensation qui inconsciemment me tourmentait le plus. La peur, je savais que tôt ou tard, j'en ferais mon affaire. Je la redoutais, mais je me répétais comme une litanie roborative ce proverbe des sages antiques : « La peur de la peur empêche d'avancer. » Je me forçais humblement aux gestes quotidiens, j'essayais de reprendre confiance, je me disais qu'il faudrait bien, un jour, retrouver le goût des projets, ne serait-ce que pour mon bébé dont je m'occupais avec ferveur, oubliant, quand je le prenais dans mes bras, tout mon désarroi personnel.

Mais me sentir à ce point coupée de mes racines par les membres de mon clan, je ne pouvais le supporter.

Car c'était bien de cela qu'il s'agissait : on avait fait de moi une transfuge et l'on m'avait bannie. Comme si le fait de m'intégrer à la vie moderne, française et d'aimer un Français m'obligeait à renier mes origines! Ma famille m'avait condamnée, je n'osais plus retourner en Kabylie de peur que ma visite ne soit prise par mon frère aîné pour une bravade offensante, je me retrouvais sans parents et sans terre.

Certes, il y avait la France, ma deuxième patrie, ma famille présente et à venir. Mais vu le clivage entre mes deux cultures que le sort m'imposait soudain, je n'étais pas loin de penser qu'hors mon mari et mes amis, les Français me considéraient de leur côté comme un cas d'espèce : une Arabe, à qui il serait arrivé une histoire d'Arabes, avec toute la connotation de racisme sous-jacent que cela suppose. Et à l'idée de cette interprétation étriquée de ma révolte et de mon féminisme, une nouvelle souffrance, humiliante, s'installait.

En somme, toutes les fondations de ma personnalité menaçaient de s'écrouler, mon passé me semblait être un tas de ruines sur lequel j'aurais bien du mal à construire quoi que ce soit. Mon idéal d'élargissement culturel et d'émancipation féminine bien comprise – sans que s'y mêle un dévergondage superflu – me semblait terriblement utopique, face à la réalité, la mienne et celle de tant d'autres.

Il s'en est fallu de peu pour que je renonce. Pour que je me réfugie dans un mutisme verrouillé, oubliant la joie de ma jeunesse, mes rêves et ma ténacité. Le soir, je suppliais l'âme de Setsi Fatima de me venir en aide, de faire renaître cette petite Berbère pleine d'enthousiasme que j'avais été, de me redonner les fiers élans de la jeune fille rebelle des études parisiennes, de rendre à mon visage l'aptitude au sourire et de mettre dans mon regard cet éclat que procure l'espérance recouvrée.

Sans doute ma grand-mère m'a-t-elle entendue, et m'a-t-elle engagée, d'abord, à relever la tête...

*
**

Une fois encore, je cherchai la force dans les champs de narcisses de mon enfance. J'imposai le calme à mon âme troublée en suivant les sentiers de la mémoire. Et je compris que mon drame n'était pas unique, il s'ancrait dans une histoire et sur une terre. La nostalgie fidèlement entretenue me permettait de me rattacher à une nouvelle filiation : avant moi et comme moi des générations de femmes avaient subi, dans la frustration et la soumission, la domination sans partage de l'homme renforcée par le poids des traditions.

Chacun porte en soi son propre jardin. Pour moi, il est celui d'une terre éloignée où vit toujours Setsi Fatima. L'enfance n'est-elle pas le village natal de l'âme ? Et mon âme est remplie de ces paysages odorants. Certes, mon village n'est qu'un petit coin de la grande Kabylie qui, elle-même, n'est qu'une contrée de l'Algérie. Mais il tient une si grande place dans mon cœur... La Kabylie reste pour moi la source de mon inspiration, le lieu de mon premier souffle de vie, de mon premier regard sur le monde. Ma mémoire reste attachée à ce joyau de la vallée du Sebaou qui déploie au printemps ses tapis roses, jaunes ou blancs.

C'est à quelques kilomètres d'Azazga, au pied du Djurdjura, que vit ce peuple isolé depuis des siècles, un peuple fier et indépendant dont je suis issue : les *Imazirenes*, les hommes libres. Ces hommes libres sont les Berbères : blonds aux yeux bleus ou trapus aux yeux et cheveux foncés, ils formaient autrefois de petites tribus repliées sur elles-mêmes. Ce sont des paysans rudes et cependant raffinés, susceptibles et changeants, respectueux des valeurs ancestrales et attachés à leurs coutumes, chacun jurant par son clan et se déclarant prêt à mourir pour son *nif*, c'est-à-dire son honneur. Le Kabyle vénère la pauvreté mais aime la richesse, il est économe et pourtant hospitalier, il n'aime pas étaler son aisance et, quand il est pauvre, il ne crie jamais misère. Il est capable de s'adapter à toutes les situations et à tous les pays. Il est très croyant, mais son sens de la religion musulmane reste imbibé de paganisme méditerranéen. Ouvert aussi bien aux murmures de l'Orient qu'aux voix de l'Occident, le Kabyle est excessif, épris de poésie et d'absolu. Il aime la sagesse et le savoir, et c'est pourquoi le *medah*, le conteur populaire, et tous les bons orateurs sont très prisés. Les dictons et les proverbes sont monnaie courante et font partie du vocabulaire quotidien. A chaque occasion, on ponctue un événement, une réflexion, une aventure de l'une de ces morales toutes faites : « La vérité est courte, le mensonge est long », « A panier sans fond que sert l'anse ? », « A mariage durable, il faut réflexion de cent ans », « La brise suffit au sage pour comprendre, à l'écervelé il faut une tempête »...

La terre kabyle est ingrate, insuffisante à nourrir son homme. Avant notre départ pour la France, j'ai vu d'autres familles partir pour cet ailleurs inconnu et mythique. L'émigration est une fatalité kabyle. Tous n'ont pas eu la chance de s'exiler avec femme et enfants ; bien souvent, l'homme s'en allait seul et envoyait au village les sommes difficilement économisées.

Ceux qui restaient au pays – et particulièrement les femmes – conservaient intacte l'organisation sociale telle qu'elle se perpétue encore de nos jours. Le village, la famille constituent de minuscules entités obéissant à leurs propres lois ; le droit coutumier et l'assemblée des sages demeurent très présents, même si cette justice n'a évidemment aucune autorité officielle. Ces républiques miniatures sont si jalousement accrochées à leurs habitudes que certains *kanounes*, les lois tribales, continuent à être appliqués comme un règlement interne. La force de la tradition est si grande que, devant un conflit, les tribunaux eux-mêmes sont bien souvent amenés à écouter l'opinion de la *djemaâ*, l'assemblée des sages...

Jadis, chaque bourgade, chaque hameau possédait son propre code, les chefs de village imposaient une série de dispositions régissant la vie quotidienne dans ses moindres détails. Toute infraction à ces *kanounes* était sévèrement réprimée, des amendes étaient impitoyablement infligées aux contrevenants. Jeter des ordures dans la rue était une faute passible d'un franc d'amende, écouter à une porte valait cinq francs. Une épouse se rendait chez le marabout sans son mari ? La punition était lourde : vingt-cinq francs. Et tous les ivrognes surpris dans les rues étaient invariablement taxés de cinquante francs.

Si aujourd'hui les villages ne connaissent plus cette rigoureuse législation, l'organisation sociale demeure stricte, chaque détail est minutieusement respecté. Avant tout, les tâches incombant à l'homme ou à la femme sont parfaitement délimitées en une suite de codes figés. Personne n'empiète sur le terrain de l'autre, la femme doit rester dans son domaine, elle ne peut ni participer ni se mêler aux discussions masculines et elle doit un respect total à son mari, à son beau-père et à sa belle-mère. Quant à l'homme, ce serait perdre toute sa dignité et même sa virilité que de s'immiscer dans le monde féminin.

Avec ou sans *kanounes*, le statut de l'homme est celui d'un pacha. Dès son enfance, surtout s'il est l'aîné, aucun soin, aucune faveur n'est refusé à celui qui, plus tard, soutiendra ses vieux parents. D'ailleurs, une ancienne tradition met dans la bouche de l'enfant mâle cette promesse de l'aube : « Prenez soin de moi jusqu'à ce que je sois en âge d'affronter les cailloux et les épines, alors je prendrai définitivement soin de vous. »

La naissance d'un garçon est un oiseau de bon augure, qui annonce l'abondance dans la maison. Grâce à lui, non seulement la famille s'agrandit mais elle obtient pour demain la promesse de temps plus faciles : le jeune homme travaillera, apportera à la maison son salaire et, si Dieu le veut, remplacera un jour son père et pourra subvenir aux besoins de tous. Le garçon est un investissement pour l'avenir, alors qu'une fille est source de tracas constants.

Dans cet univers codé, la femme traditionnelle sait souvent se forger un espace au moyen de ses propres ressources : la beauté, la ruse, l'habileté, le charme. Obéissante et fragile, elle s'avère parfois plus forte que l'homme. Malgré tous les clichés que l'on formule sur cette femme traditionnelle – soumise, séquestrée, méprisée –, elle peut être redoutable. Ses armes sont la patience, la ténacité, l'habileté et, parfois... la sorcellerie.

L'histoire de Koukha, par exemple, est très révélatrice à cet égard. Petite, elle était déjà d'une beauté « à redonner la vue à un aveugle », comme l'on dit chez nous. Démarche de gazelle, chevelure d'un noir profond, comme une cascade de boucles glissant jusqu'au bas des reins, visage éclatant de blancheur, lèvres sensuelles et rouges, dents de nacre, et ses yeux noirs étaient des brasiers capables de consumer en un éclair toute la Kabylie. Menue, svelte, la poitrine ferme, elle marchait doucement, la tête haute et, quand il le fallait, elle baissait son regard pour se faire modeste. Koukha avait conscience d'être la plus belle fille du village et le village, pour elle, c'était le monde. Depuis sa petite enfance, elle se savait jolie.

Quand elle paraissait, chacun n'avait d'yeux que pour elle, et tant pis pour sa jeune sœur que personne ne regardait. Depuis longtemps, les femmes des alentours, les voisines et les cousines, prévenaient sa mère :

– Tu devrais la cacher... Une fille comme ça, on peut te la voler... Fais attention au mauvais œil... Protège-la des regards maléfiques...

Koukha avait appris les bonnes manières, celles que toute jeune fille doit connaître : les gestes précis, délicats, une noblesse dans l'attitude. C'était un régal de la voir poser ses mains l'une sur l'autre quand elle s'asseyait en ayant pris soin de ramener ses robes sous elle. Un enchantement pour tous... Sa réputation, bientôt, dépassa le village et l'on vint la demander en mariage de beaucoup plus loin. Koukha, comme la coutume le veut, n'imaginait pas choisir elle-même son époux : elle accepterait l'homme qu'on lui aurait destiné, à la condition toutefois qu'il soit beau. L'intelligence ou la gentillesse lui importaient peu. Elle voulait faire don de son corps et de ses formes parfaites à un homme qui lui plairait physiquement. Cette femme trop belle rêvait à la beauté. Et à la beauté seule. Sa mère lui répétait inutilement que la bonté et le courage sont des qualités plus sûres, elle se renfrognait et ne voulait rien entendre.

La beauté de Koukha lui valut de pouvoir faire son choix entre deux frères. Ceux-ci habitaient une maison dans le haut du village et la famille avait décidé d'unir la jeune fille à celui qu'elle désignerait.

– C'est une très bonne famille, avec des biens, et tu seras heureuse chez eux, avait annoncé la mère.

Les frères avaient une année d'écart et tous deux cherchaient femme. L'aîné subjuguait depuis longtemps toutes les filles du village par sa prestance et ses yeux clairs. Le second, en revanche, passait assez inaperçu avec ses cheveux châtains et son teint mat, tant il est vrai que l'on cherche toujours ce qui est rare. Mais tout le monde disait le cadet beaucoup plus intelligent et plus sensible que son frère. Sans l'ombre d'une hésitation, Koukha désigna cependant l'aîné...

Le mariage fut célébré et la mère se réjouissait de voir sa fille heureuse. Le couple formé par les deux jeunes gens faisait plaisir à voir ! On attendait avec impatience le fruit de leur amour...

Hélas, les mois passaient et Koukha n'était pas enceinte. Sa mère et sa belle-mère restaient aux aguets, leurs espoirs prenaient régulièrement leur envol et s'effondraient. On commença à s'inquiéter, on amena Koukha chez un marabout qui égorgea un coq et fit boire le sang encore chaud à la jeune fille, mais le sortilège se révéla inefficace. Alors le marabout demanda un linge appartenant au mari et tenta des invocations qui furent tout aussi inutiles... Koukha se rendit régulièrement sur la tombe des saints vénérés, elle pria avec ferveur mais ses plaintes ne furent pas entendues...

L'époux perdait patience. Il regardait sa femme d'un autre œil : aussi belle fût-elle, elle était peut-être stérile. Il ne lui serait jamais venu à l'esprit que la stérilité puisse venir de lui. Au contraire, il envisageait de prendre une seconde épouse pour assurer sa descendance. Mais Koukha l'avertit : elle n'accepterait jamais de partager son mari.

Désespérée, la jeune femme fit le tour de tous les marabouts de la région, elle se plia à tous les rites dans l'espoir fou de pouvoir enfin arborer un ventre rebondi. Rien n'y fit. La résignation et la désolation étaient entrées dans la maison. Bientôt le mari négligea Koukha, la belle-mère se fit dure. Le beau-père, lui, convoita sa bru aux entrailles sèches, il l'épiait partout, la regardait d'un air concupiscent comme si une femme qui ne peut être mère devait être offerte à tous. Un jour où tous deux se trouvaient seuls, il lui fit des avances précises. Elle les repoussa. Alors il se jeta sur elle et la viola. Quand son mari rentra, Koukha n'osa rien dire. Elle se sentait tellement coupable, et puis la crainte du scandale, la peur du déshonneur la muselèrent. Koukha ne voyait aucune issue, elle ne pouvait retourner chez elle et devait profonde reconnaissance à son époux de bien vouloir la garder, malgré son ventre infécond. Seul visage ami : celui du frère qui sentait chez elle une détresse infinie et tentait de lui apporter un peu de réconfort amical.

Le mari rentrait de moins en moins souvent à la maison et un jour, il disparut complètement. On apprit par la suite qu'il était parti pour la France. Koukha était donc prise au piège, sans mari, sans amour, sans avenir. Les jours succédaient aux jours, mornes et douloureux. Sa beauté avait perdu de son éclat, elle se fanait doucement.

Mais le frère était là et il s'attendrit sur le sort de sa belle-sœur. Ils vivaient sous le même toit, se croisaient souvent : une discrète intimité s'installa entre eux, regards échangés, lourds silences... Jusqu'au jour inévitable où ils tombèrent dans les bras l'un de l'autre. Koukha comprit, trop tard, qu'elle aurait dû choisir l'intelligence plutôt que la beauté.

Les deux jeunes gens se rencontrèrent de plus en plus souvent, et Koukha découvrit l'amour. Son mariage avait été une union conventionnelle, sans véritable sentiment. Elle comprenait que sa nuit de noces, naguère, avait été un viol légalisé, elle ne se souvenait que de la douleur et d'une soumission sans plaisir. Maintenant, elle participait avec fougue aux ébats amoureux, sa timidité laissait la place à une ardeur qui emplissait le cœur de son bien-aimé.

Secrètement, elle souhaitait que son mari ne donne plus signe de vie. Elle avait hâte d'exhiber sa passion au grand jour. Son époux n'avait-il pas été lâche en l'abandonnant ? N'était-il pas normal qu'elle se remarie, fût-ce avec son beau-frère ? Dans la tradition, d'ailleurs, lorsque le mari meurt, son frère a le devoir – pour des raisons d'héritage et de commodités familiales – d'épouser sa femme. Seulement voilà : le mari n'était pas mort...

Les beaux-parents de Koukha, de leur côté, écrivirent à leur fils aîné en guise d'avertissement : ou il répudiait sa femme ou il la gardait, mais dans ce dernier cas il lui fallait prendre ses responsabilités et envoyer de l'argent pour la nourrir. De France, le mari n'envoya aucune réponse et le temps passait...

Même si les deux jeunes gens prenaient bien garde de ne rien laisser transpirer de leurs tendres penchants, la belle-mère commença à nourrir quelques soupçons, les voisines également, et bientôt la rumeur parcourut le village... Alors le frère décida de brusquer les choses : il épousa Koukha et fit savoir publiquement que si son frère revenait au village, il le tuerait ! Peur ou déshonneur, le frère ne revint jamais. Quelques mégères se croient encore autorisées à rire dans le dos de Koukha, mais elle les toise du haut de son bonheur.

Bien sûr, l'histoire de Koukha n'est pas celle de toutes les femmes, pourtant chaque aventure individuelle fait avancer un pion sur l'échiquier de la cause féminine. Il faut du temps, du courage, des souffrances aussi pour supporter les humiliations et les blessures. Et sur ce chemin escarpé, des jeunes filles connaissent le châtiment suprême pour avoir voulu aimer selon leur cœur. Simplement.

A quinze ans, Zina – dont le prénom signifie beauté – était effectivement une poupée délicate et charmante. Fille d'un modeste marchand, elle vivait dans un petit village retiré au sommet d'une colline de Kabylie. Elle avait quatre sœurs plus jeunes qu'elle et sa mère attendait un autre enfant. Tous les jours, Zina était debout dès l'aube et aidait maman à vaquer aux tâches ménagères.

Lorsqu'elle avait un peu de temps libre, Zina confectionnait des pompons de toutes les couleurs dont elle décorait la maison en riant. Elle savait aussi faire de la poterie qu'elle rehaussait d'un brin de fantaisie, mais en suivant toujours le langage symbolique bien connu qui constitue le patrimoine artistique des Kabyles : un grand V pour les oiseaux, un trait horizontal surmonté d'un triangle pour la maison, cinq traits pour la main porte-bonheur...

Un jour qu'elle partait pour laver du linge au bord de l'oued, comme elle le faisait bien souvent, elle croisa sur le sentier Djafar, le fils de Hadj Mohand le meunier. Oh, ce n'était pas la première fois qu'elle le voyait ! Bien souvent, lorsqu'elle se rendait à la fontaine, elle l'apercevait avec d'autres garçons de son âge, posté sur un rocher à observer le manège des filles se dandinant avec leur jarre sur la tête... Lorsque Zina passait devant eux, ils pouffaient tous d'un petit rire nerveux qui leur donnait une contenance. Seul Djafar restait silencieux. Discret et réservé, il la regardait seulement, intensément, de ses yeux verts. Elle pressait le pas, faisant mine de ne rien voir, mais elle avait remarqué le doux sourire que Djafar lui envoyait... Elle ne disait mot, bien sûr, mais elle trouvait le garçon fort agréable et bien fait de sa personne... les yeux clairs la troublaient. Ses pensées les plus secrètes divaguaient parfois, elle imaginait qu'un jour il oserait demander sa main... Et puis elle chassait cette idée absurde. Elle savait bien que c'était là une chose impossible : les deux familles étaient ennemies depuis des générations et avaient, entre elles, une dette de sang.

Mais la pensée sacrilège refaisait surface. Or, si quelqu'un de sa famille avait soupçonné Zina de nourrir un tel penchant, elle aurait été châtiée aussitôt. Elle en frissonnait.

Ce jour-là, pourtant, Djafar lui adressa la parole. Pour cacher son trouble et ses joues rosies par l'émotion, Zina s'appliqua à ajuster le ballot de linge qu'elle portait sur la tête et poursuivit sa route...

– Ne te sauve pas, je ne suis pas un ogre ! s'amusa le garçon.

– Laisse-moi ! dit-elle en baissant les yeux. Si l'on me voit en train de te parler, on me tuera !

– Le chemin est ouvert devant toi... mais sache que depuis le premier jour où je t'ai vue, j'ai perdu le sommeil. Je flotte entre ciel et terre. Partout, je ne vois que ton beau visage qui brille comme un soleil !

Bouleversée, Zina fit demi-tour et rentra chez elle. Elle dissimula soigneusement le linge qui n'avait pas été lavé et rangea la maison, comme si de rien n'était. Mais dès ce jour, dès cette rencontre, Zina ne dormit plus. Djafar avait allumé un incendie dans son cœur et sans cesse elle pensait à lui, à ses boucles brunes, à la lueur dorée de son regard. Elle pleurait sur son sort, elle se répétait que sa vie était vide et sans espoir désormais, puisque jamais elle ne pourrait vivre ouvertement avec son bien-aimé.

Chaque fois qu'elle sortait, Djafar était là, à l'attendre. Au détour d'un chemin, derrière un arbre, au bout d'un talus, il l'épiait. Elle gémissait sur son infortune et, lorsqu'elle se trouvait seule, chantait le nom de son doux tourment :

O toi, Dieu le très-haut qui distribue les richesses en ce [bas monde,
Toi, le maître des générosités

Peux-tu me donner à boire
Dans la coupe de Djafar...

Et un jour, effectivement, Zina but dans la coupe de Djafar, elle se perdit dans les bras du garçon. Elle lui dit :

– Que mon attitude amoureuse ne t'induise pas en erreur. Ce n'est pas de la légèreté, mais bien les marques de la passion que j'ai pour toi.

– Je suis ton esclave, ô gazelle des gazelles ! Tu es un fruit précieux qui n'a d'égal que ta noblesse. Le plus beau cadeau qu'on puisse faire sur la terre, c'est de contempler ton corps et ta peau qui luisent comme de l'or pur... lui répondit Djafar.

Ils se regardèrent en un long silence. Enlevant un à un les vêtements de Zina, doucement, il murmura :

– Un moment avec toi vaut tous les remèdes... Le présent que tu m'offres est meilleur que le vin qui rend fou...

Les caresses leur firent oublier le temps et l'interdit qui planait au-dessus d'eux. Ils étaient deux adolescents enfermés dans l'amour que tous deux découvraient. Maintenant Zina était dans son entière nudité, comme Allah l'avait créée... Jusqu'à la tombée de la nuit, ils goûtèrent aux délices défendues.

En voyant le ciel s'obscurcir, Zina eut un sursaut, et elle reprit ses esprits :

– Il faut que je m'en aille...

– Reste. Je voudrais te garder encore.

– Tu es inconscient ! Je t'ai donné mon honneur et je ne sais ce que me réserve le destin... soupira Zina, puis elle éclata en sanglots éperdus.

– Nul n'en saura rien, lui promit-il en la serrant contre lui.

Elle ramassa ses robes et ses jupons tandis qu'il lui susurrait encore à l'oreille mille choses délicieuses. Ils s'embrassèrent longuement et chacun s'en retourna chez soi.

Un sentiment fait de peur et d'euphorie agitait Zina. Elle se sentait légère comme une flûte, scintillante comme un tambourin, suave comme un violon, fraîche comme une plante aromatique. Et en même temps, elle se révoltait contre le destin qui lui interdisait l'aveu de son amour... Elle avait sacrifié sa vie et son honneur pour un moment d'éternité.

Bientôt, elle tomba dans une langueur étrange. Etait-ce l'angoisse qui la mettait dans cet état ? Tourmentée par son chagrin, elle ne mangeait plus et se sentait sans forces, les jours étaient tous identiques. Elle grossissait pourtant, sa poitrine prit des proportions qu'elle ne lui connaissait pas, son ventre pointait en avant. Iblis, qui préside aux forces du mal, avait frappé une nouvelle fois. Elle était enceinte.

Quand sa mère comprit la vérité, elle retroussa ses manches, s'empara d'une corde tressée et battit sa fille sur le dos, sur les jambes, sur le ventre et sur le visage. Elle frappa jusqu'à la limite de ses forces. Le sang de Zina ruisselait de partout. Le châtiment réservé à une fille qui a ainsi déshonoré sa famille est la mort, on le sait, mais la mère prononça ces paroles :

– Notre loi nous interdit de garder auprès de nous une fille infidèle, mais pour sauver ta vie nous allons essayer de chasser ce que tu portes dans ton ventre.

Dès le lendemain, elles s'en allèrent toutes deux voir le marabout.

– Maître, dit la mère, cette fille est indigne de nous, elle mérite la mort...

– Malheur à toi, interrompit le sage. Seul le Tout-Puissant peut en décider. Nous appartenons à Dieu et c'est à lui que nous retournerons...

En tournant les talons, le marabout alla saisir une tige de roseau et de l'encre. Sur une tablette de bois, assis en tailleur, il se mit à écrire des versets du Coran, puis il releva la tête et s'adressa à la jeune fille :

– O toi, être issu d'Adam et Eve, avec la permission de celui qui fait toutes les créatures, je te donne ceci...

Il lui tendit un bol rempli d'eau dans laquelle il avait soigneusement dilué les lettres sacrées. Il lui apprit la formule de conjuration du sort et demanda à Zina de se laver régulièrement avec cette étrange lotion.

Les jours passèrent. L'état de Zina ne changea pas et son ventre continua de s'arrondir. Les femmes de la maison tremblaient à l'idée que le père, bientôt, serait au courant... Alors on tenta toutes les vieilles recettes : procédés de magie, grosse pierre déposée sur le ventre, piétinement par la mère de ce ventre sacrilège. Les sœurs, à leur tour, appuyaient de toutes leurs forces pour faire tomber la souillure, mais en vain.

Alors, un matin, la mère s'approcha de Zina un verre à la main :

– Plutôt que de répandre une nappe de sang sur notre tapis de honte, bois ces larmes dont tu es la cause...

Zina regarda sa mère et ses sœurs une dernière fois. Des sanglots lui montèrent à la gorge, ses yeux s'embuèrent et elle prit le verre que sa mère lui tendait. Elle le but d'un seul trait.

On retrouva le corps de la jeune fille alors que le soleil ne s'était pas encore levé. Zina était étendue sur son lit, un léger sourire illuminait son visage, le verre renversé se trouvait à ses côtés. L'une des sœurs étendit un drap blanc. On parla de suicide.

Quelques semaines plus tard, la mère de Zina accoucha de son premier fils, mais il mourut le jour même. Dans le village, on murmura qu'elle avait ainsi payé la malédiction de sa fille... La malédiction de l'amour.

*
**

Ces drames ne signifient pas que la Kabylie soit complètement dépourvue de mariages heureux, bien sûr. Toute une tradition exalte même le désir et la passion : c'est l'*izli*, l'amour chanté en six vers. Cet hymne au sentiment fut inventé et propagé par les femmes.

En effet, dans la société kabyle ancienne, les jeunes filles expriment leur vie quotidienne érotique et sentimentale par les *izlans* et ces couplets témoignent d'une belle fougue amoureuse. Ils célèbrent cette période de bonheur et d'insouciance que l'on appelle *tissulya*, les huit jours qui suivent les noces et plongent les jeunes mariés dans un univers paradisiaque qui se termine avec le retour à la réalité et son cortège d'obligations, de contraintes, de coutumes empesées. Après cette semaine d'étreintes, le couple se rendra à l'évidence : le mariage est avant tout un acte social destiné à assurer la lignée patriarcale. Dans cette scène toujours rejouée, la femme devra tenir un rôle précis, celui de la mère. Sa fonction sera avant tout de donner une progéniture nombreuse à son époux.

Mais entre l'instant où la jeune fille perd sa virginité et le moment où elle s'installe dans la convention de son nouveau statut, pour peu que son époux lui plaise, elle vit dans l'éblouissement cette période de huit jours où tout est permis et où son imaginaire amoureux peut se développer. Pour cette brève échappée, les coutumes s'ingénient à favoriser le doux rapprochement des époux. On ne demande alors à la jeune mariée que de séduire, il est de son devoir d'être parée et maquillée pour plaire à son mari... Et la famille, les amis, les voisins se font discrets et laissent le plus souvent possible les deux jeunes gens ensemble.

Le huitième jour est marqué d'un rituel qui permet à la

jeune femme de reprendre pied doucement dans sa nouvelle existence. Magnifique dans sa gandoura blanche, coiffée d'un foulard brodé, elle est accompagnée à la fontaine où elle se rend pour la première fois en épousée... Elle porte sur la tête une petite cruche en terre ou un broc à eau qui symbolise son entrée dans la vie de femme active, rien à voir avec les lourdes jarres qu'elle devra transporter plus tard.

A partir de ce jour, elle retombera dans le quotidien, vaquant aux travaux des champs, aux tâches ménagères, dans l'attente de sa première grossesse. Son mari, quant à lui, aura intégré le monde des hommes. Tous deux alors s'éloigneront lentement l'un de l'autre...

On comprend donc l'importance de ces huit jours où se concentrent tous les fantasmes, tous les rêves de la femme. L'*izli* se complaît à célébrer cette passion éphémère avec une grande liberté, et certains vers sont tellement chargés d'infractions aux règles qu'ils en deviennent presque blasphématoires :

Ah, dormir près de toi deux heures, c'est l'Eden,
C'est plus que visiter La Mecque...

Ces vers donnent libre cours à une inspiration débridée qui d'une phrase, d'un mot, renverse les tabous. Les femmes se les transmettent entre elles par une tradition orale, on n'en connaît jamais les auteurs et ces chants sont considérés seulement comme des « futilités » qui favorisent la joie, la décontraction, la danse.

Ainsi se déroule cette cérémonie féminine qui clôt la semaine et ouvre pour la jeune mariée le monde des femmes qu'elle retrouvera à la fontaine, endroit féminin par excellence, où les épouses échappent à la surveillance des hommes. Ici elles papotent, se disputent, s'éclaboussent, s'insultent, s'informent, rêvent, élaborent des projets, soudent des amitiés, échangent des recettes culinaires et des philtres magiques. Car si le qu'en-dira-t-on va bon train, l'amour et la magie aussi. On dit de tel homme qu'il est possédé, que sa femme lui a fait perdre la tête en ayant recours à un marabout qui a lancé des sortilèges... Cet homme de foi est formidable, commente-t-on, d'un seul coup il a réussi à faire de cet individu monstrueux un véritable agneau, il se plie aux quatre volontés de son épouse, le maître est devenu esclave, au grand dam de la belle-mère, bien sûr...

Toutes ces révélations sont faites dans le plus grand secret, car la magie est un contre-pouvoir développé par les femmes en réponse à l'impuissance dans laquelle l'homme les enferme. C'est un espace qu'elles ont investi quand tous les autres leur étaient fermés. A elles donc la magie, l'amour et la ruse. Les hommes font mine d'ignorer cette culture féminine souterraine mais ils la craignent : par cette force à entretenir le mystère, la femme paraît leur échapper. Ils imposent alors à leur compagne une surveillance encore plus acharnée, comme pour écraser ce qu'ils ne peuvent maîtriser et qui les renvoie à la peur originelle du sexe féminin et à ce qu'ils croient être porteur de désordre, perturbateur d'un ordre social bien établi.

La femme maghrébine ne supporte pas qu'on la dise « soumise ». Il y a dans ce terme quelque chose de dégradant ; elle ne fait que se plier à des traditions et des lois avec lesquelles elle n'est pas toujours en accord et qu'elle détourne quand elle le peut.

Quand je parle avec des Maghrébines, en général elles reconnaissent leur condition inférieure dans une société où le système social les a réduites à un statut d'êtres mineurs, mais toutes ont l'espoir d'en sortir. Les unes utilisent leur savoir et se lancent éperdument dans les études qui feront d'elles des êtres socialement et économiquement émancipés, d'autres se débattent dans des milieux moins favorisés mais aspirent à travailler pour gagner une indépendance économique. Sous le joug d'un mari ou d'un père, elles essaient tant bien que mal de se frayer un chemin. Cela ne va pas sans mal, surtout quand l'épanouissement de la personnalité va de pair avec une liberté que la famille assimile trop souvent au libertinage.

En outre, si les femmes des pays musulmans souhaitent sortir de leur condition, elles cherchent aussi leur identité. Elles ne veulent pas copier un système occidental qui leur renvoie une image féminine superficiellement attrayante, certes, mais pas toujours valorisante pour autant.

Il y a peu j'ai rencontré, à l'occasion d'un colloque sur la condition féminine, une jeune intellectuelle algérienne proche des islamistes qui m'a tenu un discours étonnant. Faouzia ne ressemblait en rien à l'image traditionnelle de la musulmane religieuse, elle ne se coiffait pas d'un foulard, fumait allégrement et portait le seroual à la mode. Comme je m'en étonnais, elle m'expliqua que la cigarette n'est aucunement interdite et me dit qu'elle s'estimait bien plus décente en pantalon qu'en jupe ! Mais elle ne s'attarda pas longtemps sur ces détails qui ne la préoccupaient guère. En revanche elle me parla abondamment du Prophète, et évoqua même la vie sentimentale du Messager de Dieu :

– L'Apôtre de Dieu disait : “Il m'a été donné d'aimer dans votre bas monde les parfums et les femmes... Je pourrais me passer du boire et du manger, mais point des épouses.” Le Prophète aimait les femmes. De nombreux écrits nous relatent sa vie amoureuse si florissante et son attachement au sexe féminin. On dit Mahomet doux, vulnérable et d'une grande compassion. En fait, la place réservée à la femme dans l'Islam d'aujourd'hui procède d'une véritable méconnaissance de l'histoire. Car si l'on suivait l'attitude observée par le Prophète avec ses propres épouses, la femme aurait un statut de reine !

» ... Le Prophète, modèle absolu pour tous les musulmans, a été lui-même choisi par certaines femmes, et répudié par d'autres. Et si sa vie conjugale fut compliquée, il en fut surtout la victime !

» ... Non seulement les femmes étaient alors libres sexuellement, mais elles détenaient le pouvoir de se défaire d'un conjoint dont elles ne voulaient plus. En ce qui concerne Mahomet, il suffisait à l'épouse de prononcer la formule : "Je demande protection à Allah" pour que le Prophète, selon le rite en vigueur, se cachât les yeux dans son avant-bras et répondît : "Cette protection t'est accordée." Il fut ainsi répudié au moins par trois fois. Vous voyez : si la vie de Mahomet – que le Salut soit sur lui – était vraiment un exemple pour les musulmans du monde entier, nous n'aurions pas à nous battre pour l'égalité des sexes ! » soupira Faouzia.

Comme elle me voyait particulièrement attentive, elle continua avec fougue. Ses propos charriaient toute une foule de personnages et prenaient les dimensions d'une geste merveilleuse. Je découvrais une manière originale de lire l'histoire et d'interpréter les origines de l'islam. Faouzia parvenait à concilier féminisme et religion. Avec l'assurance tranquille de la foi et de la conviction, elle m'expliqua qu'il ne fut jamais d'homme plus soumis aux charmes féminins que le Prophète... Khadija, sa première épouse, femme de tête et femme d'affaires, était dès avant son mariage l'une des personnalités les plus en vue de La Mecque commerçante d'alors. Elle envoyait dans les contrées lointaines de longues caravanes de chameaux lourdes de marchandises et... conduites par un jeune homme de vingt-cinq ans qui s'appelait Mahomet. Elle fut si impressionnée par l'honnêteté et la belle allure du garçon qu'elle décida, à quarante ans, après s'être mariée trois fois déjà, d'épouser ce jeune homme pour vivre avec lui dans une relation strictement monogame. Cette entente parfaite, cette union conjugale sans nuages dura jusqu'à la mort de Khadija, vingt-cinq ans plus tard.

Faouzia ne se lassait pas d'évoquer les amours humaines du Prophète. Veuf, donc, à l'âge de cinquante ans, celui-ci donna libre cours à l'attrait qu'exerçait sur lui la gent féminine. En l'espace de douze ans, il eut douze épouses et en refusa plusieurs qui, selon le terme consacré, s'étaient « offertes » à lui. Car la femme, alors, menait le jeu. La tradition nous rapporte comment Leïla usa de la formule coutumière pour demander le mariage. Elle s'approcha de Mahomet, posa doucement sa main sur la sienne...

– Qui es-tu ? interrogea le Prophète.

– Je suis Leïla... Je suis venue m'offrir à toi. Veux-tu m'épouser ?

– J'accepte, répondit-il seulement.

L'union, finalement, ne se fit pas. Leïla, influencée par sa tribu, jugea que son caractère fier et exclusif ne pouvait se satisfaire d'un mari qui partagerait non seulement sa couche mais aussi ses biens entre plusieurs épouses.

– Les gens ne connaissent rien au Coran ! s'enflammait Faouzia. Le Coran, si on le lit bien, est une arme dans les mains des femmes...

En 622, année de l'*hégire*, début de l'ère musulmane, le

Prophète arrive à Médine pour propager l'islam. C'est alors le règne de la *jahiliya*, le temps de la « barbarie » et de l'« ignorance ». La sexualité n'obéit à aucune règle, à aucune morale, les mentalités sont influencées par un vieux fonds païen, le laxisme est total. On pourrait presque parler de matriarcat car la femme possède des pouvoirs et une liberté qu'elle n'a plus aujourd'hui. En effet, dans ce temps-là, rien ne l'oblige à limiter sa vie sexuelle à un cadre religieux et légal, et pour simplifier les problèmes de paternité liés à cette sexualité éparpillée, les enfants appartiennent exclusivement au lignage de la mère. Si le mariage existe, ses contours et ses règles sont très flous, la polyandrie est chose courante et les mœurs sont libres. Quand une femme célibataire attend un enfant, elle convoque tous ses amants, en désigne publiquement un comme père du nouveau-né, et nul ne saurait se dérober à cette responsabilité.

Cette société connaît aussi des excès qui portent en eux les germes de son extinction : lorsque la misère se fait trop grande, on n'hésite pas à tuer les enfants et plus particulièrement les petites filles, bouches inutiles... L'islam vient heureusement condamner et interdire ces meurtres, se révélant ainsi comme une religion humanitaire. Les transformations imposées, le droit à la vie des petites filles et l'affirmation de la sainteté du mariage apparaîtront même aux yeux de certains musulmans comme une véritable « libération de la femme ».

– Qu'est-ce que vous croyez, Djura ? Il faut lire l'histoire, mais pas n'importe laquelle, celle qui n'a pas été déformée... Bien souvent, dans sa vie intime, le Prophète fut confronté à des femmes que l'on pourrait qualifier d'émancipées, au moins pour leur temps ! Après l'autoritaire et déterminée Khadija, il aima d'autres filles venues de tous les horizons, des païennes converties mais aussi des chrétiennes et des juives. Mahomet – que le Salut soit sur lui – connut une vie sentimentale agitée et parfois critiquée par ses compagnons. Les femmes étaient un grand souci pour lui, c'était un homme de chair, vous savez ! Si je vous disais que l'une de ses plus violentes passions provoqua même le scandale dans la petite communauté des fidèles de l'époque...

Et Faouzia me raconta comment le Prophète aima l'épouse de son fils adoptif. Or les lois alors en vigueur assimilaient cet amour à un véritable inceste. Un matin, en effet, Mahomet était allé rendre visite à Zaïd, son fils adoptif. Il frappe à la porte et Zainab, sa belle-fille, lui ouvre... Elle est à demi nue, sa chemise légère s'ouvre largement sur sa poitrine et les yeux du Prophète tombent sur cette peau lisse et moirée... Zainab, innocente et charmante, propose à l'illustre visiteur d'entrer en attendant le retour du mari, mais le Prophète s'enfuit en marmonnant des prières...

La jeune femme s'étonna de cette attitude et se confia à son époux dès le retour de celui-ci. Zaïd comprit alors que son père avait désiré Zainab. Il se comporta en fils exemplaire et proposa de répudier sa femme pour permettre au Prophète de l'épouser ! D'abord Mahomet repoussa cette offre, mais le Tout-Puissant, par l'intermédiaire d'un archange, lui permit d'épouser la jeune femme qu'il avait convoitée. Ce qu'il fit.

Pour apaiser un peu les clameurs qui s'élevèrent, l'institution même de l'adoption fut quelque peu modifiée, les attaches légales entre un père et son fils adopté ne furent soudain plus assimilées aux liens du sang, la paternité se dissolvait... Ainsi, Mahomet n'épousait plus réellement sa bru. Ce qui fut confirmé par le Coran lui-même (sourate XXXIII) : « Rappelle-toi quand tu cachais en ton âme ce qu'Allah devait faire paraître et quand tu craignais le jugement public alors qu'Allah était le plus digne que tu le craignisses. Nous te la fîmes épouser afin que nul grief ne fût fait aux Croyants à l'égard des épouses de leurs fils adoptifs, quand ceux-ci ont rompu tout commerce avec elles. Que l'ordre d'Allah soit exécuté ! »

Décidément, je trouvais le discours de Faouzia passionnant, elle s'en rendit compte et ne se fit pas prier pour continuer.

– A propos de la polygamie, Mahomet – que le Salut soit sur lui – transgressa une autre loi pour Maria, l'épouse copte. Il oublia la règle rigoureuse qui oblige le mari à honorer chacune de ses femmes à tour de rôle, dans un ordre de justice parfait. L'une des épouses découvrit, une nuit, le Prophète en train de prodiguer à Maria des caresses qui, selon ce système de rotation, étaient dues à une autre ! L'édifice d'équité sur lequel était censé reposer le mariage polygame s'écroulait devant les yeux horrifiés de l'indiscrète... Pour éviter la colère des femmes, Mahomet implora le silence de celle qui avait surpris sa coupable attitude et jura même de ne plus toucher Maria... Rien n'y fit, la jalouse s'empressa de tout révéler aux co-épouses ! Alors le mari alla installer la belle copte dans une demeure éloignée, afin qu'elle ne soit pas victime de la colère des autres.

» ... *Ya hesra !* c'était le bon temps ! reprit Faouzia. Il y en a beaucoup, des exemples comme ça... Je pourrais vous en raconter jusqu'à demain ! Et le rôle de la femme ne se limitait pas au gynécée ! La plus jeune des épouses du Prophète – que le Salut soit sur lui –, sa préférée dit-on, la belle Aïcha, la rousse aux yeux verts, avait onze ans quand elle épousa Mahomet, âgé, lui, de cinquante-trois ans. Elle racontera plus tard comment, à même le sol de la maison, elle jouait à la poupée avec l'Envoyé de Dieu ! »

En fait de poupée, Aïcha rêva bien vite d'avoir un enfant, mais cette grâce lui fut refusée par le Ciel et la jeune fille dut se contenter d'une maternité plus universelle : elle allait devenir la mère des croyants.

Malgré son jeune âge, Aïcha se montra d'une jalousie féroce, luttant pour conserver sa place privilégiée dans le cœur de Mahomet. Lorsque celui-ci épousa Sawda, le chagrin d'Aïcha fut immense, car elle sentait bien que le Messager de Dieu s'éloignait d'elle. Les événements lui permirent de retrouver sa place, la première, auprès de son époux. En effet, Sawda était une païenne récemment convertie à l'islam et, dans les combats qui opposaient les croyants et les infidèles, son cœur était déchiré. Au cours d'une bataille, son père et son frère furent tués par les musulmans. Animée d'une rage dévastatrice, elle s'en alla insulter les prisonniers, leur reprochant de s'être piètrement défendus face aux armées de Mahomet ! Le Prophète entendit ces cris et décida de chasser la traîtresse. Contrite, Sawda se lamenta, implora le pardon, mais rien n'y fit. Alors Aïcha accepta de plaider la cause de sa rivale, à la condition qu'une fois revenue en grâce, elle lui abandonne une part de ses nuits conjugales... Durant une année, Sawda fut ainsi retranchée dans la solitude tandis qu'Aïcha connaissait un nouveau bonheur dans les bras de son saint époux.

Mais les actions de la jeune femme ne se limitèrent pas aux alcôves. Avec la bénédiction du Prophète, Aïcha assuma d'une main ferme et d'un esprit tranquille d'importantes responsabilités politiques et entra dans le domaine réservé aux hommes en commandant sur les champs de bataille une armée de plusieurs milliers de soldats. Sous l'apparence d'une frêle jeune fille, éclatante de jeunesse et de grâce, la femme quittait avec gloire et panache l'univers sucré dans lequel certains voulaient déjà l'enfermer.

– N'oubliez pas qu'Aïcha était une grande féministe ! s'exclama une Faouzia enthousiaste. De son côté, cependant, le Prophète, ne pouvant cacher sa vulnérabilité face aux charmes féminins dont il fut parfois la victime, imagina, pour instaurer un ordre rigoureux et mieux dominé par l'homme, un système fondé sur la famille.

» ... C'est aussi à cette époque que l'on vit apparaître le *hedjab*, le voile qui dérobe entièrement la femme aux regards de l'homme, dit encore Faouzia. Je vais vous raconter l'histoire du *hedjab*. Quand le Prophète arriva à Médine, son immense générosité et sa très grande bonté se manifestèrent entre autres par une table constamment ouverte à tous ses disciples. Chaque jour, une foule se pressait dans sa demeure. Là, on pouvait croiser de bons musulmans respectueux des règles de bienséance et des individus plus frustes qui n'hésitaient pas à manquer d'égards aux épouses de Mahomet. Certains allaient même jusqu'à les suivre, à soulever leurs jupes, à leur tenir des propos lubriques... Dépassé par une situation qu'il ne contrôlait plus, le Prophète implora Allah afin qu'il l'inspire en lui dictant une conduite. Par l'intermédiaire de l'ange Gabriel, Dieu lui fit dire alors qu'il fallait placer un rideau, un *hedjab*, entre ses femmes et les autres hommes... Ce rideau qui devait protéger les épouses du Prophète des regards de convoitise est devenu le voile : "O Prophète ! Dis à tes épouses, à tes filles et aux femmes des Croyants de serrer sur elles leurs voiles. Cela sera le plus simple moyen qu'elles soient reconnues et ne soient point offensées", nous dit le Coran (sourate XXXIII). »

– La généralisation de ce rideau, de ce voile, fut longue, et un jour, un nouveau scandale secoua le monde des croyants. La belle Aïcha fut accusée par la rumeur d'avoir trompé le Prophète !

» ... Au retour d'une expédition contre une peuplade rebelle, la troupe avait fait halte dans le désert. La nuit, pour satisfaire un besoin des plus naturels, Aïcha s'était éloignée du campement, mais elle avait perdu son collier d'agate et l'avait cherché en vain dans l'obscurité... Pendant ce temps, l'armée s'était remise en marche, la litière de la favorite avait été chargée sur un chameau et personne n'avait remarqué l'absence de la jeune épouse. Aïcha, désespérée de se retrouver seule et abandonnée, se roula dans son manteau et attendit. Un bel éphèbe la trouva et la ramena à Médine. Ce fut alors, par toute l'oasis, un éclat de rire sournois... Personne ne crut à l'histoire du collier perdu et du hasard providentiel. On imagina un rendez-vous secret, une aventure mystérieuse... Mais Allah le Très-Haut parla par la voix de son Prophète, déclarant que le doute jeté sur la moralité de la jeune femme était “une ignoble infamie” et, pour faire bon poids, la légende fit du chevalier servant un jeune homme totalement insensible aux charmes féminins. L'honneur du Prophète était sauf, mais cet épisode allait pousser Mahomet à une rigueur morale plus intransigeante : “Dis aux croyantes de baisser leurs regards, de préserver leurs parties intimes, de ne donner à voir que leurs ornements extérieurs ; qu'elles serrent leurs châles sur leur poitrine...” (sourate XXIV).

» ... Eh oui, conclut Faouzia, satisfaite de sa démonstration, c'est ainsi que s'établit l'ordre musulman ! Pour lutter contre les dérèglements de la société et briser le pouvoir de la femme, l'islam établit une suite de codes destinés à maintenir la sexualité dans un cadre rigoureux. Ces lois firent de l'institution de la famille un pilier de la nouvelle loi. Les femmes seules, les orphelins et les indigents n'étaient plus isolés mais rattachés à un groupe à qui incombait la responsabilité de les nourrir et de les protéger. Le mariage polyandre fut aboli, la *hiba* – l'acte par lequel une femme s'offre à un homme de sa propre volonté – supprimée, la coutume qui permettait à une femme de baisser un rideau devant sa porte pour faire comprendre à son partenaire qu'il ne devait plus rentrer chez elle fut prohibée, la répudiation fut réservée à l'homme seul, comme le droit au mariage multiple... La femme perdait son pouvoir.

» Et tandis que l'homme devenait tout-puissant, le Prophète devinait que la femme serait une source de tracas pour les croyants, souligna encore Faouzia. Avant de mourir, n'avoue-t-il pas : "Je ne laisse après moi aucune cause de discorde plus funeste aux hommes que les femmes..."

» Après la mort du Prophète, poursuivit Faouzia, ces lois façonnèrent réellement l'islam. Le souvenir de ses vingt-cinq ans de vie monogame comme la mémoire de ses démêlés avec ses épouses concomitantes avaient pourtant fait que, dans sa sagesse, Mahomet avait imposé de telles conditions à la polygamie qu'elles suffisaient, dans les faits, à en interdire la réalisation. Un *hadîth*, une tradition orale, nous enseigne qu'un homme peut épouser jusqu'à quatre femmes, mais dans le cas seulement où il est certain d'être équitable en amour envers toutes. Or le Coran (sourate IV) prévient immédiatement : « Vous ne pouvez être parfaitement équitable à l'égard de chacune de vos femmes, même si vous en avez le désir. »

Faouzia sentait bien que ses paroles me captivaient. Un psychologue qui venait de participer au colloque s'approcha de nous, et l'auditoire de la jeune femme s'élargissant, il lui fit trouver une nouvelle ferveur ; elle s'adressait maintenant à lui, soulignant que, dans un contexte historique précis, la pratique de la polygamie prit un développement inattendu...

– A la bataille d'Uhud, les musulmans sous la conduite du Prophète avaient subi une implacable défaite face aux tribus arabes ennemies, les morts avaient été innombrables et les femmes esseulées trouvèrent un réconfort auprès des maris prêts à les accueillir au côté de leur épouse. Ainsi, malgré les précautions du Prophète, le mariage musulman assit l'autorité de l'homme et constitua les bases mêmes de la société musulmane. Peu à peu, on a bridé la sexualité féminine, pour faire rempart à la "barbarie". Mais ces excès sont en contradiction avec les principes fondamentaux de l'islam qui, loin de réprimer l'acte sexuel, l'ennoblit et l'encourage, incitant chaque fidèle à marier son prochain afin que tous puissent réaliser pleinement une vie érotique épanouie.

» ... L'islam des origines ne connaît pas la ségrégation sexuelle, il ignore l'épouse diminuée et amoindrie, la jeune fille soumise et écrasée, plaidait Faouzia. Bien au contraire, les traces sont nombreuses et persistantes, qui nous font nous souvenir d'un temps où la femme demeurait fièrement au côté de l'homme, comme son égale et son inspiratrice : la *Ouma*, qui signifie la Communauté, vient de *Oum*, la mère, les musulmans disent donc "matrie" et non "patrie" ! Et quand Mahomet reçut le Coran, le Livre fut désigné par l'appellation *Oum Al Kitab*, la Mère du Livre... »

A l'évidence, Faouzia avait une réelle vocation de militante. Sa parfaite connaissance de l'histoire et sa manière de l'interpréter parvenaient à forcer la conviction. Ce soir-là, elle me permit de m'insérer dans l'histoire et de trouver des racines à mes idéaux. Soudain, je me sentais moins seule, comme soutenue par un passé riche qui m'éclairait sur les injustices d'aujourd'hui. J'en eus d'ailleurs bien besoin car, rentrant chez moi, je trouvai dans mon courrier une nouvelle assignation : il s'agissait, cette fois, de l'appel pour une demande de dommages et intérêts réclamés par ma famille après la parution du *Voile du Silence*.

En lisant les conclusions de mon avocate, je revis ma vie

se dérouler devant moi avant de s'étaler bientôt devant les juges. Mais pour l'heure, un peu grâce à Faouzia, j'avais l'impression de redécouvrir qu'il existait un printemps et que la nature ne cessait d'être souriante, même quand il pleuvait. Plus sereine, je retrouvais mon enfance et l'odeur des narcisses, je revivais mes souvenirs comme pour les adopter à nouveau.

Je tentais de regarder l'existence d'un œil plus paisible. Sans colère et sans rancune, j'analysais la tragique rupture qui m'avait éloignée des miens. Je ne voulais plus me brûler à ce jeu diabolique qu'ils avaient instauré entre nous, ce dialogue étrange et toujours recommencé qui passait par les tribunaux dans des procès à tiroirs, si longs, si tortueux, si pénibles qu'ils finissaient par m'exténuer, me vider de ma substance. Ces procès nous avaient opposés en de lamentables arguties ; à tous sauf aux prud'hommes, encore en cours, j'obtins gain de cause, mais chaque fois le harcèlement reprit plus violemment.

L'important pour les miens n'était pas, semble-t-il, de gagner ou de perdre devant le tribunal, mais de perpétuer un seul et immense procès qui puisait sa raison suprême dans une cohésion familiale retrouvée. L'acharnement judiciaire auquel j'étais en butte me faisait immanquablement penser à la vieille organisation villageoise de la Kabylie. Il était là-bas courant, autrefois, de s'organiser en *Çof*, parti d'intérêts, contre un autre *Çof*... Ma grand-mère me racontait que dans notre village, il arrivait que pour une branche tombée dans un champ, pour un arbre mitoyen, un bout de prairie contesté, on formât un tel parti qui soudait le groupe contre le groupe adverse. Et je souriais en pensant que nous poursuivions à la barre du tribunal de Paris la vieille coutume des montagnes kabyles !

Le vilain petit canard que j'étais par ma différence servait à merveille de catalyseur : autour de moi, contre moi, le clan pouvait se restructurer. Pour ma mère, c'était l'occasion de retrouver sa couvée longtemps perdue parce que disloquée et éparpillée. Mon frère aîné, lui, reprenait son rôle naturel et illusoire de patriarche, de chef de famille, abandonné pendant tant d'années.

J'avais endossé la fonction de père pour mes frères et sœurs, et celle de mari de remplacement pour seconder ma mère dans les moments difficiles qui suivirent son divorce. La prise en charge de tous les problèmes familiaux me faisait occuper une position qui n'était pas la mienne. Quand chacun tient sa juste place, la famille est stable et harmonieuse, mais il suffit qu'un élément se déplace pour qu'un véritable ébranlement secoue toute la structure. Je l'avais vécu à mes dépens en accomplissant ce qui me semblait être un devoir à l'égard de ma mère : assurer la vie matérielle et affective de ma famille. Je m'étais trompée. Mon attitude était ressentie comme une prise de pouvoir et avait inéluctablement engendré des situations conflictuelles. Malheureusement, à cette époque je n'avais que vingt ans, un caractère passionné et un idéal de justice...

Oh, je ne suis pas du tout amère en repensant à la période où j'ai assumé ces fonctions, je pense avoir agi correctement avec des convictions nobles, même si avec le temps je m'aperçois que j'ai été crédule. Je garde même une certaine fierté en pensant qu'au lieu de vivre égoïstement ma vie de femme, en fuyant les responsabilités, j'ai supporté ce que je considère maintenant comme un fardeau trop lourd pour la jeune fille que j'étais. Malgré le dénouement catastrophique de mon histoire je n'ai pas une once de regret, car j'ai agi alors par amour des miens et surtout par amour de ma mère. Pour elle, j'aurais fait – et j'ai fait – l'impossible. Au tribunal de Dieu, on se réconciliera...

II

LA PEUR DES FEMMES

La femme faible
est le symbole d'une nation opprimée.
Khalil Gibran

Sans cesse déchirée par les poursuites incessantes de ma famille, je ne trouvais un certain apaisement que dans l'action. J'étais bien décidée à me battre en poursuivant ma carrière de chanteuse et en donnant une voix à toutes celles qui n'en avaient pas. Je comprenais maintenant que l'épopée de Mahomet et de son harem n'était pas simplement une somme de belles légendes. Certes, la tradition insiste sur la force virile du Prophète et assure que l'aimé de Dieu pouvait honorer ses neuf épouses en une seule matinée... Mais, en ce domaine, les records importent peu. Au-delà de l'anecdote, au-delà de la glorification de la puissance sexuelle du Messager de Dieu, demeuraient les relations d'un homme avec la femme, la femme sous ses aspects les plus multiples, les plus différents, les plus contradictoires aussi.

Or, si j'évoque ce passé légendaire, c'est qu'il nous permet de nous poser quelques questions sur le présent. Est-il normal que ce soit au nom du Prophète que, de nos jours, les femmes soient infantilisées, réduites en servitude, mariées contre leur gré ? Est-il normal qu'au nom du Prophète certaines femmes voient leur existence sacrifiée, leurs rêves brisés, leur avenir réduit à la satisfaction du mâle ? Ne confondrait-on pas la religion et un ensemble d'habitudes prises, devenues coutumes, entassées pêle-mêle ? Ne faudrait-il pas se débarrasser de toutes les scories apportées par des siècles d'intolérance et d'aveuglement ?

C'est la tradition mal digérée, mal comprise, qui a permis de lancer contre moi une expédition punitive dont le bébé, dans mon ventre, a bien failli être la victime innocente. C'est la tradition qui trop longtemps m'a transformée en être craintif. C'est la tradition qui fait de moi une paria dans sa propre famille car, désormais, les lumières du Djurdjura et les hauteurs fleuries de ma Kabylie me sont interdites sous peine d'y retrouver mon frère et d'affronter peut-être une nouvelle fois sa colère...

Brisée, détruite, j'avais à l'époque atteint une sorte de fond, il me fallait refaire surface. J'imposai le calme à mon âme en tourment et je m'aperçus que cela me faisait du bien. J'en fis une gymnastique quotidienne, en me répétant inlassablement ce mot : calme, calme, calme... c'était le prix à payer pour sauver ma vie. Cette sérénité nouvelle, si fragile néanmoins, en m'apaisant me donna l'illusion d'être débarrassée du boulet que je traînais. Pour obtenir l'amour des autres, il faut s'aimer soi-même. Mais comment s'aimer soi-même lorsque l'être entier paraît se décomposer ?

La vie seule peut guérir l'esprit, et grâce à l'activité artistique j'allais replonger dans le rythme de l'existence. Dans l'univers anéanti qui était le mien, il me restait tout de même mon métier, avec ses difficultés mais surtout ses joies. Absorbée par la conception d'un spectacle et par les répétitions, il me fallait rester debout et ne pas flancher.

Je décidai de programmer une rentrée professionnelle sur Paris.

Alors que nous cherchions une salle avec Hervé, notre choix, le hasard de ce métier et la complicité des partenaires rencontrés nous amenèrent à l'Espace Européen, petit théâtre en rond situé place Clichy, charmante bonbonnière aussi rouge que ma robe de scène. Tout en restant fidèle au public français, nous avions choisi pour ce retour la période du Ramadan, plus propice à la veillée pour les spectateurs maghrébins.

Bien sûr, je n'avais jamais arrêté la scène, *Djurdjura* continuait périodiquement et régulièrement à se produire, mais maintenant j'avais besoin d'idées neuves. Avec l'écriture de mon livre, j'avais trouvé un soulagement que je n'avais pas soupçonné au moment de prendre la plumc. Pourtant, tout n'était pas encore réglé, dans ma tête et dans mon cœur. Je me réfugiai donc dans l'action.

La date de ma première à l'Espace Européen était arrêtée, il me restait trois mois pour créer un spectacle nouveau. Le travail était énorme et je me sentais cependant confiante. Je vivais le moment présent en me consacrant aux joies familiales, aux rencontres avec les amis, à l'amour de mon bébé... Je ne voyais pas le temps passer. Le spectacle mûrissait dans mon esprit mais à un mois de la première je ne savais toujours pas ce qu'il allait être dans sa forme définitive ; j'étais seulement persuadée qu'il serait tout à fait différent de ce que j'avais fait jusque-là.

Ma vie se transformait, je vivais dans l'urgence et c'était ma façon d'être efficace. J'aime me révéler à moi-même dans ces instants périlleux où le temps paraît s'accélérer et se dissoudre. En quatre semaines, il me fallait accomplir des prouesses. Pour exister pleinement devais-je me conduire en funambule et prendre sans cesse des risques fous ? Voilà un beau sujet de méditation, me dis-je en regardant le portrait de Setsi Fatima... et je me mis à rire, à rire, comme je ne l'avais pas fait depuis longtemps, et sous mon rire une nouvelle personne naissait en moi, une Djura gaie et frondeuse, une Djura passionnée et enthousiaste, la Djura de jadis, celle qui courait dans les champs de narcisses sous le regard rayonnant de sa grand-mère... Il fallait exorciser le passé, sans renier quoi que ce soit de mes origines, de mon identité, de ma famille et de moi-même.

L'art se compose, on le sait, d'inspiration et de transpiration, mais aussi bien souvent de hasards et de miracles. Il suffit simplement de renoncer aux vieilles habitudes et de voir le présent avec un regard neuf. Parfois nos yeux ne sont pas assez lucides, notre vision reste trop étriquée. Une transformation radicale dans la manière d'appréhender le monde est alors nécessaire, mais elle implique une métamorphose de la personnalité tout entière et de sa forme de pensée. Je m'étais donc mis en tête de m'entraîner à considérer toujours le côté positif des êtres et des situations en me répétant l'adage alchimique suivant : « A partir de ce qui est parfait, rien ne devient. » Et, pour moi, tout s'enchaîna comme par enchantement.

Mon regard neuf rencontra d'abord une belle créature, à la Mer de Sable, sur le tournage d'une émission de télévision où je chantais entre autres avec Enrico Macias...

Je me préparais calmement dans ma loge quand la porte s'entrouvrit. Une jeune femme entra sans prononcer une parole, elle se glissa dans mon petit domaine avec un sourire radieux. Je crus voir devant moi l'une de ces statues orientales, fines et souples, dont chaque geste paraît l'esquisse d'une danse. Elle secoua sa chevelure d'ébène, me fixa de ses yeux bleus un peu moqueurs, étouffa un rire cristallin et me demanda simplement si je me souvenais d'elle...

Elle était si typée qu'on ne pouvait se tromper sur son origine maghrébine ; j'étais saisie par sa beauté et par l'éclatant contraste entre ses cheveux si noirs et ses yeux intensément bleus. Pourquoi était-elle ici, sur ce plateau de tournage, que faisait-elle enveloppée dans son grand châle, cette inconnue que je sentais proche et amicale ?

– Je suis danseuse dans l'émission, précisa-t-elle après un long silence, comme si elle avait pressenti mes questions.

Elle me donna sa carte : « Farida, danseuse orientale. »

Je me répétais inlassablement qu'il fallait changer ma façon de voir le monde et les choses... L'occasion était là sous mes yeux... Jusqu'ici, les danseuses orientales que j'avais côtoyées ne m'avaient inspiré, au mieux, que de l'indifférence, et parfois, je dois le dire, une certaine réticence ; leur façon d'exprimer leur sensualité m'irritait. Elles représentaient pour moi tout cc contre quoi je luttais : la femme soumise aux plaisirs de l'homme, les appas féminins offerts aux regards mâles en des mouvements sirupeux dont les trémoussements pathétiques mimaient maladroitement un improbable accouplement. Ces débordements de chairs aux cuisses, au ventre, aux seins, cette manière aguicheuse de s'approcher des hommes en tortillant le bassin et de mettrc presque dans leurs mains une poitrine enchâssée dans les paillettes me dérangeaient. Sans doute quelques-unes savaient-elles faire valoir savamment leurs charmes, mais la plupart s'exhibaient avec peu de grâce sous les yeux des amateurs émoustillés. Je m'étais donc fait une idée que je croyais définitive sur la question et, malgré mon adoration pour la danse en général, j'affichais une répulsion presque épidermique pour ce genre-là. A l'exception de Samia Gamel, danseuse égyptienne célèbre dans les années soixante et qui avait su, jadis, élever cette pratique au rang d'art, et de quelques autres professionnelles passées maîtresses en la matière.

Farida venait bousculer en moi toutes les idées reçues.

Elle était très mince, parfaitement proportionnée, des mains fines d'une grâce inouïe qui parlaient en même temps qu'elle, et pour couronner le tout ce port de tête et cette classe folle que l'on retrouve chez les filles du désert.

– Tu ne te souviens vraiment pas de moi ? J'étais à ton premier concert à l'Olympia, je suis venue te voir au café d'à côté après le spectacle et avant de partir je t'ai donné un livre, *le Prophète*, l'ouvrage philosophique de Khalil Gibran.

Le titre fut un déclic et je revis la scène... En une seconde, je retrouvai l'émotion de ce premier Olympia, ma mère aux premières loges, mon enthousiasme, le public si chaleureux, les applaudissements... Pour la première fois la scène du music-hall s'ouvrait à un groupe algérien, pour la première fois un public fait en majorité d'immigrés venait fouler les tapis rouges du théâtre. En sortant la musique kabyle du ghetto des petites salles de banlieue, j'avais le sentiment d'anoblir cette culture. Je savais aussi quel sacrifice signifiait pour la communauté maghrébine le fait d'aller au spectacle. Vivant pour la plupart dans des situations difficiles, sachant que la place coûtait cher, ils venaient quand même tous, en famille... Je me souviens de notre succès partagé avec les musiciens autour d'un pot amical et de cette jeune fille sage attablée non loin ; au moment de partir, elle s'était dirigée vers moi et avait posé délicatement un livre sur le coin de la table :

– C'est pour toi, Djura...

Pas un mot, pas une adresse, pas un nom, pas un numéro de téléphone. Juste ce livre avec quelques passages soulignés en rouge de sa main. Comment ne pas se souvenir de ce livre, comment oublier un geste si généreux, si désintéressé ? Un geste qui faisait partie de ces preuves d'amour qu'adressait un public tout nouveau à la chanteuse encore débutante que j'étais. Je crois maintenant que dans ce don discret, il y avait davantage. Il y avait cette intuition d'une amitié, d'une confiance à venir... Farida avait reconnu en moi une âme identique à la sienne. Il avait fallu dix ans pour nous rencontrer à nouveau et nous découvrir si semblables...

Elle était là devant moi et je l'adoptai sans rien savoir d'elle. Je ne l'avais jamais vue danser mais j'étais persuadée que ce serait beau. Elle m'offrit son amitié, son art, sa générosité et sa grâce. Elle me conquit ainsi que toute mon équipe par ses danses voluptueuses, par sa magie du geste, et je mis ce cadeau de la vie au service du spectacle... Elle allait apparaître tous les soirs à l'Espace Européen comme un papillon, une déesse des *Mille et Une Nuits*, une Cléopâtre vivante, dans un costume féerique et des lumières somptueuses. Grâce à elle, j'ai découvert de près la magie et la volupté de la danse orientale quand elle répond aux critères artistiques.

Grâce à Farida, en outre, je fis la rencontre de celui qui allait devenir le metteur en scène de ce spectacle : Karim Salah. Il était kabyle et presque de mon village ! Les metteurs en scène kabyles à Paris ne sont pas nombreux, on s'en doute, il fallait que celui-ci fût présent, comme Farida, au moment où j'en avais besoin. Il apparut dans ma vie professionnelle avec la plus grande simplicité. D'abord, il ne parla pas, attentif seulement à mes paroles. Il témoignait de cette qualité d'écoute qui appelle les confidences. Je lui fis partager mes doutes et mes craintes comme si je savais déjà que cet être encore silencieux, dont le regard fouillait le mien, allait bientôt se révéler être le magicien de mon rêve.

– Je suis à un mois de la première et je ne sais toujours pas quel spectacle je vais faire. Toutefois j'ai un texte à dire, de première importance pour moi : un texte de Supervielle qui prête ses vers à Shéhérazade...

Pour que du fond de mon mourir
Je vienne jusqu'à vos côtés
Que de portes il faut ouvrir
Et que de rideaux écarter !
Que de silence à remonter...

– Supervielle ! s'exclama-t-il, comme si la nature de mes chansons et tout ce que représente la Kabylie étaient aux antipodes de ce poète que j'adore et que j'estime trop méconnu.

C'est alors qu'il se redressa, me regarda bien droit et me dit :

– Supervielle et la chanson kabyle..., en me montrant de ses doigts comme un grand ruban tendu d'un point à un autre. Ça m'intéresse, et puis je connais l'Espace Européen comme ma poche pour y avoir travaillé. D'ailleurs, je monte là-bas *le Malade imaginaire* avec Jacques Fabbri à la rentrée. Je suis ton metteur en scène.

Ces derniers mots m'allèrent droit au cœur, à ce moment-là Karim était déjà un ami...

Trop d'éléments se superposaient et venaient à point pour que celui-ci ne fasse pas partie de la fête. C'était la première fois que je rencontrais un metteur en scène kabyle ! Professionnel depuis plus de trente ans – il avait monté les meilleurs auteurs et avait fait travailler de grands comédiens –, son expérience ne l'empêchait pas de se montrer pour moi d'une gentillesse et d'une simplicité déconcertantes. Et surtout, nous partagions la même culture. Que demander de plus à l'étrange destin qui planait au-dessus de moi et semblait diriger ma vie ?

Karim s'inspira du *Voile du Silence* mais aussi de mon

désir de faire la fête, il sut créer les enchaînements et donner corps à ce spectacle qu'Hervé allait appeler *Djura chante sa liberté*, en hommage à cette fleur sacrée pour laquelle je m'étais toujours battue : la liberté.

Emotions tristes ou gaies, chants, poèmes, humour, défilé de mode, danses modernes, orientales ou folkloriques... Je mettais dans ce spectacle tout un univers, tout mon univers, avec ses espoirs, ses révoltes, ses chatoiements. Sur scène, je tenais absolument à la présence de petites filles qui représenteraient l'avenir de la femme et l'espoir dans la jeunesse. Le texte de Supervielle et la présence d'enfants étaient les deux axes essentiels de mon spectacle. Je commençai par solliciter les enfants de tous mes amis, puis les enfants des amis de mes amis... Toutefois je ne trouvais pas la petite prodige capable de jouer et de danser.

Je me dirigeai alors tout naturellement vers l'Ecole du spectacle, là où j'avais fait moi-même mes premiers pas dans le monde enchanté du théâtre et du chant. Quand j'arrivai devant la porte, je fus saisie d'une violente émotion. Soudain, j'hésitais. Je n'osais plus entrer, comme si j'avais peur de réveiller des fantômes assoupis. Je m'attardai quelques instants sur les photos du Paradis Latin, le cabaret situé juste à côté, puis, après une grande respiration, je me décidai à affronter le passé. Je savais que la cour de l'école paraîtrait plus petite, je ne fus donc pas étonnée par les dimensions des couloirs, des portes, des fenêtres. En revanche, je fus frappée par l'odeur, par la couleur, par le climat général que je retrouvais inchangés tant d'années après, comme si le temps ici était resté suspendu...

*
**

En gravissant les marches qui conduisaient au bureau de la directrice, je me revoyais toute gamine, montant et descendant cet escalier ; je me remémorais les instants merveilleux passés en compagnie de mon amie Fanny, avec laquelle je ris aujourd'hui de nos illusions, de notre insouciance, de notre enfance passée dans les baraquements de la cité d'urgence du XIIIe arrondissement de Paris.

La maman de Fanny rêvait pour sa fille d'un merveilleux destin de vedette de cinéma... Si elle l'avait appelée Fanny, d'ailleurs, c'était encore par référence au septième art : *Fanny*... la jeune fille séduite et abandonnée dans la célèbre trilogie de Marcel Pagnol ! Et puis son père, devant la beauté de sa fille, avait ajouté : Peau de pêche. « Fanny-Peau de pêche » était donc ma complice comme elle l'est toujours aujourd'hui. Quelle chance extraordinaire que de pouvoir garder ses amies d'autrefois... Fanny prolonge pour moi l'enfance. Lorsque nous sommes ensemble, la vie d'adulte ne parvient pas à nous entamer. Tout récemment, elle me rappelait comment alors j'inventais des chansons, comment on créait la fête en tapant sur des bidons, des casseroles et autres ustensiles dans l'unique but de s'amuser et d'entraîner avec nous « la bande de la cité », c'est-à-dire nos camarades garçons et filles qui partageaient nos jeux et nos bagarres. Nous étions des enfants très gais et pourtant il y avait quelque chose de désespéré en nous, comme si le fait de vivre pauvrement, d'appartenir à une classe sociale défavorisée, d'être des « ratons », de résider en France en pleine guerre d'Algérie, montrés du doigt comme la vermine, étaient des tares accumulées et irrémédiables. Heureusement, à l'Ecole du spectacle, Fanny et moi n'étions pas les seules étrangères : si nous étions les seules enfants d'origine maghrébine, il y avait aussi des Noirs, des enfants de toutes les nationalités, et de ce brassage même émergeait le talent. Nous n'avons jamais senti le moindre racisme. A croire que dans cet univers de rêves et de chimères qu'est le théâtre, les barrières sociales et raciales n'existent pas.

Tous les jours nous partions à l'école avec bonheur, Fanny pour devenir danseuse et actrice, et moi en quête d'un avenir dans l'art du spectacle... En fait tout m'intéressait, la danse, la musique, la comédie, je n'avais pas fixé mon choix sur une carrière déterminée : j'attendais le signe du destin. Et s'il tardait à se manifester, cela avait bien peu d'importance car nous avions la chance d'être formées « à la vieille école » : un artiste devait savoir tout faire. Il fallait donc s'initier à un maximum de disciplines. Quand nous préparions un spectacle, comme nous n'avions pas chez nous d'endroit pour travailler et que je devais cacher à mes parents ma vocation, nous répétions dans le métro ! Sur les quais, nous nous exercions à quelque chassé-croisé ou pas de deux... sous l'œil surpris et amusé des curieux. A notre façon, nous étions des petites saltimbanques. Notre cité – que nous appelions notre « château » – était l'amphithéâtre d'un cinéma gratuit, haut en couleur, où se côtoyaient toutes les races et toutes les cultures. De la cité au cirque, il n'y avait qu'un pas. Nous l'avons franchi, Fanny et moi, en y ajoutant le petit grain de fantaisie qui nous permettait de transcender notre misère et notre condition. Avec nos rêves et nos ambitions, nous nous sentions moins démunies. Les grands artistes sont presque tous partis de rien, n'est-ce pas ? C'est ce que nous nous rabâchions tous les soirs en rentrant au « château ».

Je montai donc les escaliers de l'école avec au bord du cœur ces souvenirs qui me revenaient... J'expliquai l'objet de ma visite à la secrétaire et lui confiai mon souci de trouver des petites filles comédiennes et danseuses. Elle m'installa dans un bureau voisin, me donna les fichiers de tous les élèves et je m'absorbai dans ce travail.

Auparavant, elle avait sorti d'immenses registres où étaient inscrits les noms des anciens. Elle trouva le mien et me dit en riant :

– C'est drôle, on sait quand vous êtes entrée, on ne sait pas quand vous êtes sortie !

Quand je dis que le temps paraissait suspendu...

Ensuite je m'attardai sur les photos, car je devais fixer mon choix sur des fillettes typées ; je passais et repassais en revue ces portraits et je ne trouvais rien. J'étais tellement concentrée sur cette tâche que je n'avais pas remarqué la présence, dans la même pièce, d'un gamin et d'une petite fille. Quand enfin je me décidai à décrocher mon regard de cette multitude de fiches décidément inutiles pour moi, je les vis tous deux, me souriant comme deux anges tranquilles. La petite que je cherchais était là, devant moi... Une tendre beauté aux cheveux d'ébène, frisée comme une Africaine. Sa chevelure était si volumineuse, si longue qu'elle semblait pouvoir s'en recouvrir totalement. Cette magnifique enfant était une symbiose de toutes les races, il y avait en elle de l'Africaine, de l'Asiatique, de la Maghrébine, plus un je ne sais quoi de pétillant... C'était « elle » que je cherchais ! Pourquoi regarder dans les dossiers ?

– Comment t'appelles-tu ? lui demandai-je.

– Glawdys, répondit-elle avec un large sourire qui découvrit ses belles dents blanches sur sa peau très mate.

– Et d'où es-tu ?
– Je suis française, dit-elle.
– Je le sais bien, mais encore ?

Je pensais qu'elle allait me répondre algérienne, tunisienne ou marocaine...

– Je suis moitié indienne, moitié vietnamienne.
– Et que fais-tu à l'Ecole du spectacle ?
– Patinage artistique, répondit-elle. J'ai participé pendant un mois au ballet de Béjart...

J'étais béate d'admiration, sûre d'avoir trouvé la perle rare. Ne voulant pas dévoiler quoi que ce soit devant elle, je me contentai de lui demander son nom et le numéro de téléphone de ses parents. Je l'embrassai et lui fis promettre de dire à son père et à sa mère qu'une dame allait les appeler, ce que je fis le soir même. Je parlai à la mère qui s'en remit au père... Je rappelai le père en lui expliquant mon projet et en l'invitant à venir avec sa fille au théâtre participer à l'audition avec d'autres enfants. Ce jour-là, tout se passa comme prévu, c'est-à-dire le mieux possible. Tous les enfants étaient là, accompagnés de leurs parents, et ce fut une réelle joie de voir tout ce petit monde se mouvoir gracieusement sur la musique. Nous avions décidé avec Karim que nous engagerions tous nos chérubins pour le jour de la générale, ils seraient les bonbons acidulés qui mettraient de la fraîcheur dans cette fête. Puis, comme il était impossible de les faire venir tous les soirs, nous décidâmes de garder celle qui était professionnelle et qui les remplacerait tous par sa beauté, son charme et ses gestes délicats : Glawdys. Et nous avons fait d'elle une hirondelle qui apporte le printemps et les bonnes nouvelles. Elle symbolisa aussi la colombe de la Paix.

Tout se déroula dans l'amitié, l'émotion, la création. Il se passait chaque soir quelque chose de magique. La plupart de mes musiciens étaient des fidèles de *Djurdjura*, depuis des années nous avions une complicité, nous nous comprenions sans parler. Sur scène, un regard, un sourire suffisaient pour tout se dire avec Francis, Rabah, Larbi, Franck, Michel et Dominique... Quoi qu'il pût se passer dans la vie de chacun nous vivions sur scène un moment unique, tous les tracas quotidiens étaient oubliés et remplacés par la lueur de nos émotions, le plaisir d'être ensemble, de faire de la musique, et la joie de trouver un écho dans le public. Les choristes et l'équipe technique se fondaient dans ce climat chaleureux... Tous les éléments étaient réunis pour faire un beau spectacle dans une parfaite symbiose, la seule chose apportant une ombre au tableau et que je ne pouvais pas tout à fait maîtriser étant encore une fois ma peur... Mon livre venait de sortir et tous mes amis redoutaient des représailles familiales.

A l'Espace Européen, je revivais le même scénario tous les soirs. Les mesures de sécurité avaient été prises et pourtant, à chaque représentation, à un moment ou à un autre, tantôt au premier rang, tantôt au troisième, tantôt à droite, tantôt à gauche, je croyais voir un membre de ma famille... A chaque spectacle, je subissais cette angoisse irraisonnée, une peur née du souvenir et qui s'ancrait en moi. Je m'efforçais désespérément de dissimuler mes sentiments aux musiciens, à l'équipe, et au public bien entendu. Heureusement, je n'ai jamais craqué, j'étais même d'un calme que je ne m'étais jamais connu. J'arrivais au théâtre parfois tôt dans l'après-midi et je me relaxais dans ma loge, j'étais déjà dans mon spectacle, je rêvais. Quand la maquilleuse arrivait, elle regardait mon visage.

– Ah, tu es bien détendue, me disait-elle.

Si elle avait su.

*
**

Ce spectacle célébrait aussi les dix ans de *Djurdjura*. En un mois, j'étais récompensée de dix ans de peines, de sacrifices, d'entraves en tout genre causés par les difficultés du métier et par les tracas familiaux.

Peu de temps après la dernière représentation, j'appris qu'une nouvelle fois j'étais enceinte. Mon bonheur était à son comble. Etait-ce ce petit être en gestation qui m'avait donné la force de me battre et d'aller jusqu'au bout de mon projet ? Ce petit garçon, je l'appellerai Erhal. Comme pour l'aîné, j'ai voulu lui donner un prénom qui évoque sa double origine : pour la Bretagne, Erhal signifie le penseur ; en Kabylie, il est le voyageur. Mon penseur-voyageur, mon Berbère-Breton, mon prince des dolmens, mon chevalier des sommets enneigés est venu au monde dans un bonheur encore fragile mais rebâti pierre à pierre.

Génie et mystère de la création, après avoir été au plus bas, après avoir pensé que mes forces m'avaient lâchée, je sentais monter en moi l'énergie d'un monde nouveau, un monde où la peur n'existait plus. Quelle merveille que de voir sortir de soi un petit fils de l'homme bien vivant et bien beau. J'ai pu, ce jour-là, aimer la beauté dans toute sa splendeur. Dans mon malheur, j'ai pu savourer intensément le don et la générosité que m'avait envoyés la vie. Il me manquait une clé pour pénétrer ce mystère et voilà que la porte s'ouvrait grande devant moi sur l'amour... Et cette beauté qui envahissait mon âme, je l'ai chantée une fois encore en berbère alors que mon bébé sortait de mon ventre, alors qu'il était sur mon sein, en repensant de nouveau à ma mère. Ma mère... je désirais tant l'avoir à mes côtés en ces instants. Je n'aurais pas parlé du passé, je l'aurais embrassée, elle m'aurait embrassée aussi et mon mari, complice, aurait compris ce lien indéfinissable qu'est l'amour filial et qu'il découvrait une seconde fois en regardant le nourrisson. Mais c'est cela aussi la vie. Rien n'est jamais acquis ni définitif. La victoire appelle la défaite et l'échec prépare une nouvelle victoire. « L'échec, ce n'est pas de tomber, c'est de rester par terre », dit-on.

Et je songeais à tout le chemin parcouru depuis dix ans. Erhal venait célébrer dix ans d'un travail sans relâche pour faire exister *Djurdjura*, pour défendre mes idées, dix ans pendant lesquels il avait fallu se battre contre les idées reçues et le racisme.

A la radio, sur les chaînes de télévision, il est encore trop rare de programmer un groupe algérien : il n'est guère facile d'imposer sur le marché français un « produit » parfois connoté négativement parce que « arabe ». Au début de ma carrière, quelques disquaires avaient même refusé de mettre en vente mes albums en déclarant franchement au distributeur qu'ils ne voulaient pas attirer chez eux une clientèle maghrébine ! Il est vrai que d'autres, au contraire, consacraient des vitrines entières à *Djurdjura*, et ces gestes d'amitié m'avaient fait oublier bien des déceptions.

A côté de la réticence de certains professionnels, nous avions subi aussi les tentatives d'intimidation de groupuscules extrémistes et fanatiques. A l'occasion d'un spectacle que nous devions donner au Havre, une alerte à la bombe revendiquée par une obscure organisation d'extrême droite mit nos organisateurs dans le plus grand embarras. Un dilemme s'était posé à eux : fallait-il céder au chantage, fallait-il prendre des risques ? Par discrétion et aussi pour n'affoler ni les membres de notre troupe ni les spectateurs, le secret fut gardé jusqu'à la fin. Ignorant tout du danger qui planait, je me demandais pourquoi des hommes nous suivaient partout, jusque dans les toilettes...

C'étaient des gardes du corps chargés de notre protection ! Finalement, la « providence », si on peut l'appeler ainsi, décida seule du déroulement des événements. Trois scènes avaient été aménagées en plein air pour les différentes manifestations du festival : un programme ambitieux et fort chargé était prévu. Hélas, la pluie se mit à tomber, l'orage fut si violent que tout le monde dut se retrancher à l'intérieur, et le spectacle fut compromis. Seuls les ballets indiens du Katakali, impressionnants par leurs costumes et leurs maquillages grandioses, purent, ce jour-là, donner une représentation dans le théâtre couvert. Je fus très déçue bien sûr de n'avoir pu chanter, mais sans doute aussi un peu soulagée lorsqu'on me mit au courant des menaces !

Ce n'est pas la seule alerte à la bombe que nous ayons subie. Il fut même un temps où cette forme de chantage était devenue si fréquente que la police fouillait systématiquement à chacune de nos manifestations ! Je n'ai jamais voulu céder à ces pressions, car c'était encore une façon de m'empêcher de chanter. Or, chanter était devenu pour moi plus qu'une vocation, plus qu'un combat, plus qu'une manière de m'affirmer à travers un art, c'était devenu un engagement. Je me souviens avec émotion de ce spectacle donné à la Bourse du travail de Lyon, où ce genre d'incident se renouvela. L'organisateur s'inquiétait mais je l'avais prévenu : nous avions l'habitude et nous ne céderions pas à ces intimidations. Il le comprit et je montai sur les planches. Au milieu du récital, une nouvelle alerte vint nous interrompre, l'organisateur annonça lui-même au micro qu'il fallait évacuer la salle. Mais comme je restais sur scène, aucun spectateur ne voulut sortir. J'étais médusée. Presque trois mille personnes étaient là et, devant ma détermination, elles étaient prêtes à rester avec moi. J'en aurais pleuré d'émotion, mais dans des moments aussi poignants ce ne sont pas les larmes qui viennent, c'est un sentiment curieux, euphorique et fou, qui vous renforce dans votre conviction et vous rend téméraire. Le public avait compris qu'un petit bout de bonne femme comme moi disait non encore une fois. Non à l'injustice, non à l'intolérance, non au racisme, et tout cela sans un mot, simplement debout et souriante.

Face au public qui restait assis et stoïque, l'organisateur me supplia de demander à tous de sortir. Il me mit à cet instant face à mes responsabilités : avais-je le droit de prendre de tels risques ? Non, évidemment. J'avançai donc vers le micro et, d'une voix assurée, je priai l'assistance d'évacuer la salle. A ma grande surprise, un non général s'éleva, longue clameur déterminée. Alors, je négociai : ils sortiraient dix minutes, le temps nécessaire pour fouiller sous les sièges et opérer quelques vérifications obligatoires, ensuite le récital se poursuivrait normalement.

Ainsi tout le monde sortit et quelques instants plus tard, pas une seule personne ne manquait à sa place. Ils étaient tous revenus, plus enflammés encore, et la fête fut bientôt à son paroxysme.

« Il se passe toujours quelque chose entre *Djurdjura* et son public », a écrit un journaliste. En effet, à tous mes concerts j'ai pu le constater : chaque fois un moment magique se renouvelle.

Je ne sais pas si tous les artistes éprouvent la même chose que moi. Pour ma part, le plaisir est à chaque fois de recommencer une nouvelle aventure. Dès que je mets les pieds dans un théâtre, j'oublie tout le reste. J'aime arriver assez tôt, m'installer dans ma loge, étaler mes robes et mes châles, l'endroit devient alors une tente berbère et je me sens chez moi. Je m'imprègne de l'endroit en prenant tout mon temps, je vais voir la scène, je marche de long en large, je m'approprie l'espace, je dirige mon regard vers le fond, vers les cintres, puis je descends dans la salle, je parcours les allées, je m'arrête, m'assieds sur un fauteuil, j'écoute le son, je pense à ceux qui seront là tout à l'heure... J'aime le public et je l'aime encore plus quand je le sens vibrer ou bien ému par une parole, un geste, une confidence. Donner un spectacle est pour moi un acte d'amour.

Au moment des derniers préparatifs, dans ma loge, je mets mes boucles d'oreilles, mes bagues, mes bracelets, je me regarde encore une fois dans le miroir. J'ai l'impression d'être une nouvelle mariée. Suis-je assez belle ? Celui que je dois séduire est là, je l'entends comme un seul cœur qui va battre pour la musique. Quand j'entre enfin sur scène, j'ai au fond de moi un immense soleil qui souhaite illuminer ce lieu devenu temple de l'amour.

Et même si ce temple est en plein air, rien ne m'arrêtera plus. A la Fête de l'Humanité, par exemple, je me souviens d'avoir ressenti sur la grande scène le trac le plus intense de ma vie professionnelle. Quand je suis arrivée face à près de cent mille personnes, ma gorge s'est desséchée et je pensais que je ne parviendrais pas à en sortir une seule note. Je ne voyais devant moi que des petits points noirs à perte de vue. Comment ma voix irait-elle jusque là-bas ? Comment les atteindre ? Le contact avec cette multitude semblait impossible. Et pourtant, comme toujours, la magie s'accomplit. Je sentis jusqu'au bout de mes doigts des ondes qui partaient comme un feu d'artifice en fusées, en étoiles, en gerbes colorées vers ceux que je voulais émouvoir.

Toutes les joies, tous les enthousiasmes, tous les encouragements me sont venus du public. Dans les nombreuses difficultés qui ont jalonné ma carrière, il était toujours présent, amical et chaleureux. C'est grâce à ce public fidèle que j'ai pu combattre obstinément ces deux vieux ennemis : le mutisme et la peur.

Je suis une féministe au service de la féminité et je porte en moi cette parole prononcée par le chœur mystique dans le *Faust* de Goethe : « L'éternel féminin nous attire vers le haut. » L'éternel féminin c'est le désir sublimé, c'est aussi le rôle de guide que la femme a joué dans le passé et jouera peut-être dans les sociétés à venir. Je ne parle pas des femmes qui veulent imiter les hommes, je parle de la femme dans son rôle originel de femme, c'est-à-dire d'initiatrice, d'éducatrice, et enfin de porteuse d'amour universel.

Oui, la femme est sans doute l'avenir de l'homme. Et je ne puis oublier qu'à l'heure où les sociétés matriarcales ont pratiquement toutes disparu, l'une des seules qui subsiste encore se trouve dans mon pays, chez les Touareg, les hommes bleus du désert. La culture de mes ancêtres y a été soigneusement conservée et transmise par les femmes, ces femmes qui demeurent à la fois souffle du foyer, creuset intellectuel et artistique du groupe pendant que les hommes se consacrent aux tâches quotidiennes... Ces hommes méritent notre respect car, pour eux, le fait de donner la vie est un acte si grand, si noble qu'il élève la femme au rang de déesse vénérée. Bien sûr, la religion et les traditions ont modifié ce schéma idéal, les femmes touareg sont aujourd'hui emprisonnées dans des contraintes sociales qui les bâillonnent comme leurs semblables des autres régions du Maghreb. Elles continuent pourtant, dans la sphère intime et familiale, à être des femmes révérées dont la parole est écoutée.

Il demeure un lieu où la femme est toujours adulée, désirable et libre, un lieu que les traditions n'ont pu ternir et qui reste dans la pureté de ses origines. Ce lieu mythique où j'aime me retirer parfois, c'est la poésie arabe. Là, les femmes sont décrites comme des beautés phares qui brillent dans des nuits sans lune ; là, les femmes fascinent comme les étoiles célestes ; là, certains voiles en montrent plus que la nudité elle-même ; là, le voile n'est en fait qu'un voile intérieur destiné à entretenir le secret que la femme porte en elle depuis la nuit des temps : le désir de l'homme.

Le corps de la femme, doux et fabuleux mystère, est évoqué de mille manières érotiques dans les contes, les chants et les poèmes. Les yeux, les mains, les chevilles, les seins, les visages sont sublimés. On y voit des hommes perdre la tête pour leur bien-aimée. Omar Khayyam fait l'éloge du vin et des femmes, Si Moh Ou Mhand le Kabyle chante l'amour mais aussi la trahison des belles qui l'ont fait souffrir. Chez d'illustres poètes, la femme exalte le sentiment amoureux. Face au puritanisme que nous renvoient les sociétés arabo-musulmanes d'aujourd'hui, il est intéressant de se pencher sur ce qu'écrivait un poète du XIVe siècle comme Al Suyûti : « Louanges à Dieu qui créa les femmes minces pour recevoir les assauts impétueux des membres virils. Louanges à Dieu qui créa les verges droites et dures comme les lances pour guerroyer dans les vagins et guère ailleurs... Louanges à celui qui nous fit don du plaisir de mordiller et de sucer les lèvres, de poser poitrine contre poitrine, cuisse contre cuisse et de déposer nos bourses au seuil de la porte de la clémence. Rendons grâce à Dieu de manière convenable, frottons et enfonçons, buvons le vin et réchauffons, heurtons et retirons, exigeons et frappons à la porte, sachons alterner les coups les plus fiers avec les plus énergiques. »

Pour le poète, l'immensité du désir de l'homme est une histoire jamais terminée, un livre qu'on ne peut refermer, des nuits sans aube... Et le corps de la femme reste indéchiffrable depuis l'origine des temps. Les poètes du monde arabe, avant et après l'instauration de l'islam, n'ont pu être insensibles à l'amour, l'amour et la femme les ont toujours inspirés. Que la femme soit décrite comme une gazelle ou un fruit défendu, qu'elle soit la plus légère ou la plus inaccessible, qu'elle soit un objet de plaisir comme le vin, le chant, les jardins parfumés, qu'elle inspire l'amour ou la haine, ces deux sentiments étroitement liés, elle est toujours un temple mystérieux et adoré. En raison de cette place essentielle, elle est devenue l'objet de tractations entre les tribus et les clans, notamment en ce qui concerne le mariage puisque c'est elle qui engendrera les fils, symboles de la prospérité et de la postérité.

Au centre du désir éternel de l'homme, comme un refuge sacré et inaccessible, la femme renvoie la virilité à sa fragile dépendance. C'est sans doute pourquoi il est impossible d'abandonner à la femme une parcelle de pouvoir. Et, comme elle paraît toujours échapper à l'homme, il faut trouver le moyen de la maîtriser, de la dominer, à défaut de la comprendre. Il est donc urgent de nier, d'annihiler cette source de trouble.

La littérature poétique n'est évidemment qu'un exutoire. Entre la poésie et la réalité, il y a le monde de la tradition, avec ses règles de conduite, sa cruelle rigidité. Alors que, dans la poésie, on donne volontiers libre cours aux fantasmes, dans le vécu le seul mot « amour » est une aberration. L'amour laisse la place à une libido hiérarchisée, enrégimentée dans un cadre juridico-religieux extrêmement rigoureux. Le sentiment amoureux représente un danger, comme à Rome autrefois, comme dans le monde occidental ancien. Chez nous, la société fonctionne sur la base de la famille dont la femme est le centre de gravité : si elle bouge, tout l'édifice s'effondre. Cela est si vrai que, dans les pays musulmans, la moindre allusion au statut de la femme suscite des levées de boucliers de tous les horizons. Même reconnaître le sentiment amoureux serait reconnaître la force souterraine de l'amour et du désir, affirmer la puissance du cœur et du même coup la puissance de la femme qui engendre le désir... Et c'est précisément pour se mettre à l'abri des bouleversements créés par la femme, cette constante rebelle, que l'homme a adopté une kyrielle de traditions destinées à la mettre définitivement sous le boisseau. En élevant des barrières infranchissables, en enfermant les femmes dans des espaces clos et domestiques, en imposant aux hommes comme aux femmes un monde de conventions, les institutions ont mis en place toute une stratégie contre le diabolique charme féminin.

Mais la loi est versatile et vire casaque selon les besoins et les intérêts ! Dans un passé récent, en Mauritanie et en Afrique de l'Ouest, la coutume voulait que les femmes de la maison soient offertes pour la nuit à l'hôte de passage. Ce qui nous paraît en contradiction avec l'islam dogmatique. Coutume hospitalière ici, tabou ailleurs... Et tous se réclament pourtant de la même foi musulmane. Ainsi les hommes, pour servir leurs intérêts, utilisent-ils outrageusement ce qu'ils prétendent être la religion.

Dieu et la femme sont au cœur même des trois religions monothéistes, comme une quête infinie. L'homme d'aujourd'hui se trouve toujours entre ces deux entités inexplicables et inexpliquées qui se dérobent sans cesse. L'exégèse religieuse, la littérature et la culture populaire opposent toujours Dieu et la femme, comme deux éternelles contradictions. Car l'amour fait chanceler la raison et détourne immanquablement le fidèle de ses devoirs envers le Créateur. Or, Dieu – nous dit-on – ne saurait tolérer que la femme dérobe à son seul profit les pensées de l'homme... Alors, la loi et la tradition se dressent sur le chemin du désir, elles endiguent la passion et ramènent les fidèles dans la bergerie des amours conventionnelles.

Le mystère de la femme, devenu ainsi l'antithèse du

Dieu Un, développe chez les hommes de notre société un phénomène d'attirance et de rejet. Prostituée, épouse ou mère, la femme est constamment présente, envahissante, et l'homme est conscient d'être condamné à la dépendance à perpétuité. Dès lors, il n'a d'autre choix que fuir cette femme ou la dominer. De là cette « misogynie » du monde arabe qui n'est qu'une peur, au fond. Pour l'homme musulman, le charme féminin est un piège de Satan qui le mène à sa perte, à sa destruction, à la *fitna*, le chaos, le désordre, et ce qui est pire que tout cela : à la révolte contre Dieu.

Pour maintenir l'ordre, la société musulmane a déterminé des espaces rigoureux, séparés. L'espace public est celui des hommes, l'espace privé celui des femmes ; l'extérieur est le monde des hommes, l'intérieur le monde des femmes. Et pour que cela fonctionne, il n'est pas question de transgresser cette loi, il est donc interdit aux femmes de pénétrer le monde des hommes à moins que la nécessité les y oblige ; dans ce cas elles porteront le voile qui cachera leur corps et les rendra invisibles. Quant aux hommes, la même interdiction leur est faite d'entrer dans le domaine des femmes sous peine d'humiliation. Là encore, si la nécessité les y oblige, ils devront s'annoncer en faisant entendre quelques toussotements ou raclements de gorge afin de signaler leur présence.

Ces territoires bien déterminés sont, en eux-mêmes, toute une organisation sociale. L'un est le monde du pouvoir, de la vie publique, de la politique, de la guerre, des affaires ; l'autre celui de la vie, de la procréation, de l'obéissance, de la sexualité. A l'intérieur de chacun de ces deux mondes, les tâches sont bien définies. La société distribue les rôles. A l'homme de défendre son territoire, et pour cela il faudra tuer, faire la guerre, empêcher coûte que coûte l'entrée des seuils interdits du domaine des femmes, et ainsi les protéger des agressions comme des tentations.

Ce qu'on appelait le harem était un sanctuaire. Le terme même exprime l'idée de séparation, de frontière à ne pas franchir. Harem vient du mot *haram*, chose sacrée inviolable, interdite, le territoire *haram* étant ce qui appartient à l'homme et que nul autre ne peut pénétrer sous peine de mort. Voici comment, pour s'approprier le corps des femmes et l'enfermer afin de l'exorciser des dangers supposés, la société a organisé cette division des hommes et des femmes, ce qui est contraire à l'esprit de l'islam à son origine.

Cette ségrégation des sexes ne signifie pas que le monde des femmes soit désagréable à vivre. Celui que je connus personnellement fut le cercle restreint de Setsi Fatima, celle qui m'enveloppa de toute son affection et qui me raconta que le jour de ma naissance elle avait déposé dans mon berceau une datte et un morceau de sucre.

– Grâce à eux, dit-elle, tu seras douce, aimée et bien vivante.

Comme il est d'usage en Kabylie, elle me maquilla les yeux au septième jour qui suivit ma venue au monde. Pour cela, elle avait réduit en poudre la pierre qui servait à faire le khôl et, dans le savant dosage des teintes, elle avait fait dominer le bleu... Le blanc de l'œil alors se colorait de bleu et donnait un regard intense. J'ai toujours dans mon souvenir la profondeur presque inquiétante des yeux d'une enfant de Gardaïa maquillée ainsi.

Ma grand-mère disait que le khôl était un médicament... tous les dons de la nature étaient pour elle des onguents aux pouvoirs infinis. L'huile d'olive, par exemple, possédait toutes les qualités, elle m'en faisait boire à la cuillère, m'en passait délicatement sur le visage en guise de crème de beauté ou m'en versait tiède dans l'oreille pour calmer les otites. Ce qu'elle ne disait pas, c'est qu'elle accomplissait ainsi, comme toutes les mères kabyles, les rites destinés à enrichir la beauté des filles.

En Kabylie, on aime la beauté et l'on sait bien qu'une fille jolie se situera aux premières places sur le grand marché du mariage. Le petit garçon perpétue le lignage, il restera dans la famille dont il renforcera la puissance ; la fille, elle, au contraire, sera source de soucis permanents pour ses parents, de sa naissance jusqu'à son mariage où, dit-on, elle ira enrichir la maison des autres ! Car la jeune fille devra rapidement se fondre dans sa nouvelle famille, s'en faire la servante dévouée et s'intégrer entièrement à son nouveau clan en faisant des enfants et surtout des fils. On raconte chez moi l'histoire de ce beau-père qui emmena sa bru visiter le jardin familial dont il était très fier. La jeune fille s'émerveilla comme il convenait devant les arbres fruitiers et s'enquit poliment :

– Père, ce verger est-il à vous ?

Devant cette question, le beau-père répudia la bru sans autre forme de procès. Le fils fut donc remarié ; nouvelle visite au jardin, nouvelle question :

– Père, ce verger est-il à vous ?

Impitoyable, le beau-père imposa une nouvelle répudiation et le fils ainsi se remaria sept fois, et sept fois, devant la question de la bru, il dut répudier son épouse... Jusqu'au jour où la jeune fille, dans le jardin, interrogea :

– Père, ce verger est-il à nous ?

Celle-là avait compris qu'elle était entrée dans une nouvelle famille qui était sienne désormais et qui devait lui faire oublier jusqu'à son appartenance ancienne à une autre famille.

La petite fille est donc un tourment permanent pour les parents. Non seulement il va falloir l'élever, mais encore faut-il que cette éducation soit stricte si l'on veut qu'elle puisse trouver un mari le jour venu. Pour cela, il s'avère nécessaire de préparer la jeune fille à être une bonne épouse, une bonne ménagère, à se plier aux exigences d'une future belle-famille où elle sera au service de tous. Dès son jeune âge, on transmet à la gamine les gestes, les paroles, les formules de politesse et tous les comportements bien policés que l'on attend d'unc fille de qualité. Cette éducation passe par un véritable dressage et un système de conduite rigoureux qui feront de l'adolescente une femme accomplie, fragile mais en bonne santé, dominée mais dans la dignité, respectueuse, silencieuse et agissant pour le bien-être des siens en oubliant sa propre personne.

Comment devient-on cette femme exemplaire ? C'est l'affaire des femmes et plus spécialement de la mère. La pression sociale est telle que ce travail est capital : l'honneur ou la honte de la famille sont entre les mains de la jeune fille.

Quand je dis entre les mains, je devrais oser dire entre les cuisses... La gamine devenue pubère va bien vite se rendre compte du péril qui menace la famille si son hymen venait à être rompu. Dès lors la mère, de qui l'on attend douceur et solidarité, devient un véritable gendarme, un garde-chiourme obsédé seulement par la virginité intacte de sa progéniture. Il n'est question ni d'amour, ni de complaisance, ni de pitié, ni de tout autre sentiment qui pourrait détourner la mère de son devoir sacré qui se résume à surveiller le diamant qui dort au creux du sexe de sa fille.

Si la mère réussit, on la félicitera d'avoir bien accompli sa tâche. Elle triomphera. Mais si elle échoue, malheur à elle ! Les fautes de sa fille retomberont sur elle et sur toute la famille. Déchirée par cette angoisse, la mère est prête à tout sacrifier. Elle fera donc fi de ses sentiments maternels s'il le faut et développera des aptitudes au commandement et aux brimades. Certes, les mères qui éduquent sévèrement leur fille à l'école de la soumission, de la contrainte et du travail forcé, le font en toute bonne foi, persuadées qu'elles agissent pour le bien de leur enfant et pour l'aider à supporter, plus tard, sa condition d'épouse. De plus, elles attendent de leur fille une attitude de respect et de reconnaissance pour celle qui leur apprend le métier de femme. En aucun cas ces mères ne se sentent responsables d'un système de domination qu'elles développent et dont elles sont les complices le plus souvent inconscientes. Et ainsi, elles transmettent à leur fille les sentiments d'angoisse, d'insécurité et de peur dont elles sont elles-mêmes les victimes.

Comment, dans ces conditions, les petites filles pourraient-elles s'épanouir ? Dans quel amour pourraient-elles puiser leur source d'épanouissement ? Dans quelle relation affective trouveraient-elles leur équilibre ? Bien sûr, il existe des milieux où l'éducation des filles d'aujourd'hui est plus libre, moins soumise au diktat des règles ancestrales, mais cela reste le plus souvent le privilège des familles modernes et citadines. L'Algérie, et le Maghreb d'une manière générale, sont peuplés en majorité de ruraux et les paysans obéissent encore fidèlement à la tradition ; là-bas, il est bien difficile à une personnalité indépendante de se développer harmonieusement.

Je me souviens de l'obsession que j'avais moi-même de ma virginité, et ma mère partageait cette hantise. Je comprends aujourd'hui pourquoi mes camarades maghrébines de l'époque et moi-même étions comme marquées au fer rouge à l'idée de perdre ce qui était notre fierté, notre pudeur, notre vertu, notre honneur, mais aussi notre *hachouma*, notre honte et celle de la famille s'il nous prenait quelque envie de transgression.

Toute notre vie tournait autour de notre virginité. Sans elle, aucun homme ne voudrait de nous, nous en étions certaines. Et on ne faisait pas dans la nuance : si nous n'étions pas vierges nous étions des p... ! Dès les premières règles, les mères devenaient nos geôlières, elles surveillaient tous nos gestes et nos moindres faux pas. Les sorties étaient généralement interdites, toutes tentations proscrites, éloignées. A mesure que nous grandissions, la vigilance se faisait de plus en plus contraignante, la peur s'amplifiait aussi bien chez la mère que chez la fille, tout devenait une menace pour cette chère et précieuse membrane.

Je me souviens que, lorsque j'étais enfant, mon père m'avait acheté un vélo bleu pour me récompenser de mes résultats scolaires. A l'adolescence, il me fut interdit de monter à bicyclette... un accident est si vite arrivé. Même le café m'était absolument défendu, car selon de vieilles croyances la caféine diluait purement et simplement l'hymen des jeunes filles !

Tous ces récits me terrorisaient et je pleurais parfois toute seule en me demandant si ma virginité ne se serait pas évaporée à mon insu... Inutile de préciser que le flirt, au temps de mon adolescence, se réduisait à tenir la main du bien-aimé, l'idée même d'un petit bisou sur la bouche, un simple effleurement des lèvres me mettait dans des angoisses indescriptibles. J'avais conscience de préserver quelque chose d'inestimable et j'étais toujours sur mes gardes. Cette obsession de la membrane était devenue chez moi une cause d'insécurité constante. J'avais même peur qu'une force inconnue me l'enlève la nuit dans mon sommeil ! La perte de ma virginité évoquait des images effrayantes : je voyais le sang couler, le sang de l'effraction, celui aussi de la déchirure. Ces visions cauchemardesques suggéraient une idée monstrueuse du pénis... et je tremblais en songeant qu'un jour un organe pareil pourrait me transpercer. J'imaginais des dimensions titanesques, un gigantisme proportionné à la terreur qui m'habitait. La peur du pénis devint la peur de l'homme. Je devinais vaguement les raisons qui me poussaient à vouloir être un garçon : c'était peut-être inconsciemment le désir d'avoir un pénis et non d'avoir à le subir, de profiter des privilèges attachés à l'état de mâle et non d'endurer une domination qui m'apparaissait déjà injuste.

Le fait d'avoir toujours été chef de bande dans la cité d'urgence où nous habitâmes peu après notre arrivée en France m'incite à penser que je pris très tôt conscience du mode d'éducation que j'avais reçu et qui me cantonnait, en tant que fille, à un statut inférieur. En riposte, et dans ma révolte, j'adoptai l'attitude de me mesurer constamment aux garçons, les bâtons figurant les épées des films d'aventures qui enchantaient mon imaginaire... Cette épée de bois s'est transformée plus tard dans mon esprit en symbole phallique, elle exprimait mon refus d'un système de valeurs et de traditions qui s'obstinait à réduire l'adolescente que j'étais à un objet sexuel convoité par les hommes, un simple objet de plaisir. Le sexe était devenu quelque chose de tabou pour moi, comme la virginité.

L'amour dans mon esprit ne pouvait être que platonique, tout le reste était cauchemar et terreur. La perception que j'avais de la passion était celle que nous renvoyaient les images du cinéma. Dans notre détresse d'enfants d'immigrés, dans notre misère et notre pauvreté, mais aussi sans doute comme toutes les petites filles de notre âge, Fanny et moi espérions un jour trouver notre porte de secours dans un roman à l'eau de rose. Souvent, nous rêvions toutes les deux au prince charmant que nous allions rencontrer. Nous l'imaginions bien sûr beau, riche et intelligent, il serait doux et nous montrerait les merveilles du monde. Nous étions ambitieuses, nous étions des gosses de la « Zone » et notre seule idée était d'en sortir et de goûter la vie.

L'Ecole du spectacle nous distrayait de cette grisaille. Nous y fréquentions des amis bien différents de nous, issus de milieux aisés. Certains étaient inscrits à des cours privés du quartier Latin et quelques-uns appartenaient même à l'aristocratie. Parmi eux, nous avions des amoureux qui venaient s'encanailler dans nos bouis-bouis, et je me souviens comme nous riions lorsqu'ils se mettaient à genoux pour obtenir de nous un sourire ou un petit baiser timide sur la joue ! Nous étions romantiques et eux aussi, nous passions des journées entières à nous regarder, à parler, et ces moments d'immense tendresse se terminaient par un affectueux baisemain... Ah, comme nous défendions farouchement notre virginité ! J'avais développé, en ce qui me concerne, un jeu érotique assez naïf dont je suppose aujourd'hui qu'il devait constituer un substitut à mes fantasmes... J'inventais mille choses et la victime de ma parade amoureuse savait pourtant qu'elle n'obtiendrait jamais rien de moi.

Il fallait devenir intouchable, je l'étais devenue. Dorénavant, tous les garçons du monde pourraient bien me convoiter et user de leurs stratagèmes, rien ne m'éloignerait de mon but qui était aussi celui de mes parents pour moi : rester vierge. Et toujours Fanny et moi rêvions d'une belle histoire d'amour. Nous imaginions sous les plus beaux atours l'élu de notre cœur, celui qui aurait droit à notre hymen, à condition de nous épouser cela va de soi. Notre fidélité et notre amour iraient à celui que nous choisirions comme mari, et à celui-là nous offririons notre virginité. Pour lui, nous restions intactes.

En ce qui me concerne, je voulais oublier que mon père avait un avenir tout tracé pour moi et un mari tout désigné, un lointain cousin d'Algérie. Nous préférions, Fanny et moi, nous échapper dans les contes de fées où les princes épousent les bergères. Le père de Fanny était un homme infiniment bon mais la jalousie maladive qu'il éprouvait envers sa très belle femme l'avait fait sombrer dans l'alcool. Heureusement, il était très doux avec sa fille et n'avait pas le vin agressif. Au contraire, il la prenait dans ses bras et lui disait qu'elle était sa préférée. N'était-ce pas pour cela qu'il l'avait surnommée Peau de pêche ?

Fanny aura été marquée par l'amour de son père comme j'aurai été marquée par le manque d'amour du mien, ou du moins par son absence de manifestation. Quel dommage que je ne me souvienne pas de véritables marques d'amour ! J'ai une seule photo de moi bébé dans les bras de mon père en Kabylie : il est jeune, très beau, il est coiffé de la *chechiah* traditionnelle, ma mère est à côté de lui comme une jeune mariée rayonnante en robe kabyle. D'une main il tient mon frère aîné debout devant lui, il me porte de son bras droit, j'ai l'air d'un bébé heureux... Peut-être m'a-t-il aimée à sa façon, sans paroles et sans gestes affectueux. Est-ce pour cela que durant longtemps ma notion de l'amour a été floue, diffuse, évaporée ? Je n'ai eu pour référence que l'amour des miens, un amour dramatique, chaotique, déstabilisateur.

De quel amour mon père aimait-il ma mère ? Cela restera toujours une énigme pour moi. Comment ma mère aimait-elle mon père, si elle l'aimait ? Voilà qui demeurera à jamais un mystère à mes yeux. Mon père est décédé il y a plusieurs années maintenant, je ne vois plus ma mère et je ne saurai jamais par quel cheminement étrange et douloureux ces deux êtres se sont aimés ou non sans se choisir, ont fait des enfants puis se sont détruits mutuellement.

Devant le manque de modèle d'un amour auquel j'aurais pu me référer, j'ai dû en inventer un qui ressemblait à un idéal de perfection bien rare sur terre et que seuls mes rêves et mes désirs faisaient exister. De toute façon, nos mères nous avaient mis dans la tête que les hommes n'étaient là que pour profiter de nous, que lorsqu'ils nous auraient « eues », ils nous jetteraient comme du linge sale... nous étions devenues in-tou-cha-bles. Nos barrières, nous les emportions dans nos têtes. Notre seul regret était que nos parents ne nous fissent pas confiance, nous étions continuellement chaperonnées et surveillées par un frère ou un cousin. A ceux-ci, nous devions entière obéissance, nous étions à leurs ordres, et souvent ils étaient encore plus sévères que père et mère ! C'est pourquoi, sans dévier pour cela des normes autorisées, nous nous sommes mises à développer un sentiment de méfiance. Par peur des réprimandes et des coups nous fîmes tout en cachette. « En cachette » resta longtemps une devise, une manière d'être. Plus je grandis et plus la nécessité d'agir « en cachette » devint vitale.

Pour sauvegarder l'honneur de la famille, c'est-à-dire ma virginité, une machine impitoyable s'était mise en place. Comme en Algérie, le système de dressage continuait et les traditions pesaient de tout leur poids... Peut-être même davantage qu'en Algérie, car il s'agissait pour mes parents non seulement de m'éduquer selon les principes de l'honneur, mais aussi de ne pas perdre leur identité dans un pays où ils pensaient être de passage, et mes voisines ou mes amies compatriotes subissaient le même sort que moi. S'il nous arrivait de rentrer à la maison avec du retard, nous étions battues, comme si ce retard était forcément un danger pour notre virginité... Toute notre vie de jeune fille était dominée par notre sexe, car les mères nous rappelaient sans arrêt que nous avions un sexe et pas n'importe lequel, un sexe de fille et pas de garçon, un sexe faible et pas fort, un sexe porteur de honte s'il est souillé. D'ailleurs la colère de nos mères s'exprimait toujours contre nous en mots grossiers liés à la sexualité...

Dès notre plus jeune âge, nous subissions des insultes toujours avilissantes et qui étaient en rapport direct avec notre sexe.

A deux mille kilomètres du pays, les coutumes gardaient toute leur force. Nos parents avaient emporté l'Algérie dans leur tête, les traditions rythmaient notre vie. Le souci de la virginité nous poursuivait directement, nous les jeunes filles, mais bien d'autres rites ponctuaient l'année et nous rappelaient sans cesse la patrie lointaine. Les garçons étaient circoncis selon les lois de l'islam, nous observions le Ramadan et les principales fêtes religieuses. A l'occasion de l'*Aïd*, des familles achetaient un mouton et l'élevaient dans la baignoire pour le grand jour. Le sacrificateur venait alors l'égorger, la bête était découpée puis distribuée entre plusieurs familles et ceux qui avaient la chance de bénéficier d'un jardin, d'une cour, d'un espace vert organisaient un grand méchoui entre les HLM... C'était alors la joie, la fête, on oubliait la grisaille du ciel et les immeubles ternes qui nous barraient l'horizon. Pour quelques heures, le costume des femmes, les chants, l'odeur de la viande qui grillait nous transportaient ailleurs, dans ce pays de lumière dont le souvenir venait éclairer notre misère.

La seule chose que nos parents ne pouvaient importer totalement en France était la ségrégation entre les hommes et les femmes. La plupart des immigrés étaient kabyles et beaucoup parmi eux n'avaient jamais voilé leurs femmes, mais ils optèrent quand même pour une réclusion de celles-ci à la maison. Pourtant, quelques-uns, plus évolués, acceptèrent de laisser sortir leur épouse pour les cours d'alphabétisation et de couture, parfois même lui confièrent les cordons de la bourse. Mais ce n'était pas le cas de la majorité.

Les femmes, elles, continuaient à faire des enfants, insensibles au planning familial instauré en France. Quand je voyais ma mère à nouveau enceinte, je la plaignais, je comprenais que ses grossesses répétées la fatiguaient énormément et j'en voulais à mon père de ne pas limiter sa progéniture. Pourquoi étions-nous tous des familles de huit, dix, douze ou quatorze enfants que les adultes avaient du mal à élever avec le peu de ressources dont ils disposaient ?

Je compris plus tard que la seule richesse de nos parents et leur grande fierté était d'avoir une famille abondante. C'était aussi leur unique espoir pour l'avenir, ces enfants seraient un jour présents lorsque, devenus vieux, ils devraient être assistés et soutenus. Je pris conscience aussi que le statut de la femme, le respect auquel elle a droit, est directement lié au nombre d'enfants – et particulièrement de mâles – qu'elle a pu donner à son époux. Plus la femme a d'enfants, plus elle augmente la *ouma*, la communauté des croyants.

La plupart des femmes maghrébines aiment être enceintes, naturellement mais peut-être aussi parce que c'est le seul moment de leur vie où elles peuvent s'octroyer des privilèges, conscientes que pour quelques mois elles feront l'objet d'attentions particulières. La femme enceinte ne se privera pas de manifester ouvertement ses envies, d'exprimer quelques caprices, de traîner sur certaines tâches ou de les faire exécuter par d'autres, son état lui permettra une sorte de nonchalance dont elle tirera profit et qu'elle exagérera volontairement en sortant délibérément son ventre en avant, en marchant comme un nabab, en offrant ses formes pleines aux regards et en imposant sa corpulence comme un don de Dieu.

Une femme de mon village que j'aimais particulièrement se trouvait souvent en état de grossesse. Malheureusement, elle perdait presque tous ses enfants avant terme. J'étais à l'époque très surprise de l'entendre parler avec désinvolture de ses fausses couches : c'est sans doute qu'elle aimait davantage l'état de grossesse que le fait d'enfanter.

Mais en général, chez nous, la maternité est essentielle. Avec Setsi Fatima, jadis, nous allions souvent consulter des marabouts avec des femmes supposées stériles. Parfois, les sortilèges pratiqués par ces étranges manipulateurs étaient suivis d'effet : la femme était enceinte peu de temps après. Mais d'autres fois, elle ne pouvait jamais avoir d'enfants et il lui fallait accepter ce qui ressemblait fort à une déchéance.

Encore aujourd'hui, pour éviter ce malheur, les femmes sont prêtes à tout. On raconte que les miracles attribués aux prières de certains marabouts sont accomplis par leur semence déposée dans le ventre des femmes grâce à une semi-hypnose... Qu'importe, certaines ont ainsi évité l'intrusion d'une deuxième épouse imposée par le mari, voire la répudiation pure et simple. Soulignons en outre qu'il est presque impossible de mettre en cause l'éventuelle stérilité du mari, comme si cette carence ne pouvait venir que de la femme.

Dans le contexte du mariage forcé, dans ces nuits de noces qui sont parfois des nuits de viol, dans cet acte imposé il arrive pour certaines que faire l'amour signifie faire la haine. Généralement, comme les filles sont des bouches inutiles à nourrir, elles sont promises en mariage à neuf ou dix ans, et même avant. Parfois, quand les familles sont proches, la petite fille est élevée chez son futur mari sans consommation sexuelle jusqu'à l'âge nubile. Pourtant, il arrive que le mari ne puisse attendre...

Une femme d'un village voisin du mien a été unie à neuf ans à un homme de vingt ans plus âgé qu'elle. Le soir de ses noces, l'homme l'a littéralement déchirée et la petite fille, comme prise de folie, sous le choc, s'est sauvée dans la forêt pour s'y cacher. On imagine le désarroi dans lequel elle se trouvait quand on sait que la forêt est le refuge de toutes les terreurs pour une enfant de cet âge... Elle y est restée plusieurs jours pendant que toute sa famille la cherchait. On la retrouva presque morte de faim, de peur et de froid. Elle fut ramenée chez ses parents et réconfortée, on lui laissa même entendre qu'elle ne retournerait jamais chez son mari.

Mais toute cette douceur était destinée à l'amadouer et on finit par la persuader que sa place était tout de même auprès de cet homme. Au bout de quelques mois, la belle-famille, en accord avec les parents de la petite fille, vint la chercher avec infiniment de ménagements, en lui assurant que son mari ne la toucherait plus... En fait, on lui avait appris à accepter son sort. La petite fille devenue femme a huit ou neuf enfants, et le mari est resté le sadique qu'il était jusqu'à sa mort...

Toute la vie de la jeune fille est tournée vers cet apprentissage du non-amour. A La Courneuve, je me souviens de la mère d'une copine qui, au lieu de battre sa fille, lui passait du piment sur le sexe, ce qui la faisait évidemment hurler de douleur. Une amie m'a raconté que sa mère, quand elle était petite, lui avait brûlé le sexe pour lui faire prendre conscience de cet endroit décidément trop sacré... Tout est mis en œuvre pour que ce siège du plaisir soit détourné de sa fonction : il est nécessaire de démontrer à la gamine qu'entre ses cuisses réside la douleur. Comment, dans ces conditions, apprécier l'acte sexuel ?

Ces angoisses n'appartiennent pas au passé, elles ne sont pas limitées aux lointains villages algériens. Aujourd'hui, à Paris, à Lyon ou à Marseille, des familles vivent encore en maintenant intact cet état d'esprit, et des filles souffrent dans leur chair, écartelées entre tradition et modernité.

Le sentiment de culpabilité soigneusement entretenu est sans doute le frein le plus puissant au développement de la personnalité, il remonte à l'origine de notre espèce, quand l'homme et la femme s'accouplèrent et mangèrent le fruit de l'arbre de la connaissance... Et, curieusement, la femme était déjà la principale coupable, l'initiatrice satanique, le trublion d'où venait le mal.

Du reste, les circonstances où l'on se sent « fautive » ne se limitent pas à la sexualité. Pour une peccadille, un geste, une attitude, une parole, elles sont si nombreuses qu'elles finissent par nous gâcher le goût de vivre.

Aujourd'hui encore, mon souci est de faire plaisir au plus grand nombre, sinon je me sens mal à l'aise, comme « en faute », et je rencontre énormément de femmes dont cette « maladie », attrapée dès le plus jeune âge, ternit le quotidien. Dans de nombreuses familles d'immigrés, combien de jeunes filles se refusent au bien-être, à la joie de vivre car elles se sentent coupables ? Coupables de quoi ? De vivre, de rechercher le bonheur, de réussir. Car comment réussir, être bien dans sa peau, intégrée à un pays où l'on a vu ses parents dépérir, être en butte à l'incompréhension, maudire l'environnement hostile ? Il y aurait trahison à passer de l'autre côté, dans l'univers de ceux qui sont à l'aise et connaissent succès et prospérité. Combien de jeunes filles – comme je l'ai fait dans le passé – paient leur liberté du prix de la culpabilité ? Cette

« maladie » peut atteindre une phase culminante où la jeune fille renoncera à tout bonheur, se complaisant dans un malheur affiché, un échec permanent et fièrement brandi qui, dans son esprit, la réintégrera au monde parental et fera d'elle une fille modèle. Les autres, moins atteintes sans doute, vivront en cachette, travailleront en cachette, seront heureuses en cachette.

A cette faute perpétuellement portée par les enfants s'ajoute parfois la violence. Souvent, les jeunes qui vivent dans ces familles où l'on use et abuse des châtiments et des coups développent en eux une terrible agressivité. C'est qu'ils ont peur et se défendent. Moi-même, j'ai vécu cette peur et j'en ai contracté une crainte à vie. Cette peur qui paralyse devant un adulte en colère, un adulte qui vous terrorise et jouit de votre frayeur... Devant cette agression l'enfant est démuni, impuissant, humilié. Il s'ensuit une terreur qui le marque à jamais car il est inscrit quelque part dans l'inconscient que cette violence vous est infligée « pour votre bien » par des personnes qui sont censées vous aimer. Dans ces conditions, que faut-il attendre du monde extérieur et de tous les autres qui ne vous aiment pas forcément ? Après cela, comment ne pas rechercher dans une course folle et inutile l'amour des autres, afin de ne plus être maltraité et d'échapper aux souffrances subies ?

Dans une enfance gâchée par la peur, les parents ne font que développer en nous la culpabilité, le sentiment d'injustice et du manque d'estime de nous-mêmes. Si nous sommes battues, n'est-ce pas que nous le méritons ? Et toute notre vie, nous vivons avec ce miroir déformant de nous-mêmes. Rien n'est plus difficile ensuite que de retrouver la vérité et de la faire remonter à la surface pour qu'elle nous libère du fardeau. D'abord parce que cette vérité fait mal, qu'il est bien plus facile de se refuser à la voir, et aussi parce qu'elle est un secret inavouable. A qui peut-on parler d'une chose si intime, si enfouie ? Cela ne peut pas sortir de la famille. Et puis, ne doit-on pas obéissance et fidélité à ses parents ? Si on dévoile ce secret, on est sûr de briser ce lien qui nous unit, nous devons rester soudés autour du silence, celui qui aura failli à ce pacte sera exclu et subira la loi du clan.

La violence la plus traumatisante, la faute la plus inavouable, demeure cependant celle entretenue, portée, intériorisée au nom de l'indispensable virginité. L'une de mes voisines, Fadila, m'a raconté sa nuit de noces, dramatiquement exemplaire de cette culpabilité transmise par la tradition.

D'abord, quelques mois auparavant, les fiançailles eurent lieu. Un imam de la mosquée se rendit au domicile des parents de la jeune fille afin de lire devant tous la *fatiha* qui scelle le mariage religieux. Cette cérémonie se passa chez les parents de la jeune fille. Une délégation représentant les parents du marié était venue offrir la dot traditionnelle et fixer la date des festivités.

Puis le mariage se déroula selon une série de rites immuables. Fadila avait été parée la veille par ses tantes, on l'avait emmenée au hammam, un long cortège de vieilles femmes pépiait autour de la fiancée silencieuse et traînait derrière elle deux valises, l'une renfermant savons, parfums, serviettes et peignoirs, l'autre bourrée de gâteaux et de douceurs de toutes sortes que l'on dégusterait joyeusement après le bain.

Fadila avait été entièrement épilée, son pubis devait être semblable à celui d'une petite fille, son corps avait ensuite été gommé, massé jusqu'à ce que la peau soit douce et lisse comme le satin, ses cheveux avaient été démêlés soigneusement et passés au henné, afin de leur donner l'éclat et la profondeur d'un feu dévorant. Fadila n'eut qu'à se laisser faire, tout avait été prévu et décidé pour elle. Ces gestes accomplis, après un ultime thé à la menthe la fiancée fut ramenée chez ses parents où l'attendait une poignée d'invités. Alors on la coiffa, on l'habilla, on la maquilla et puis, en un cérémonial bien réglé, elle dévoila son trousseau, fit admirer les robes cousues à ses mesures pour la circonstance et chacun admira les beaux atours de la jeune fille.

Le soir même, chez les parents de Fadila, eut lieu la pose traditionnelle du henné. Cette cérémonie se déroula dans la joie et les femmes qui étaient entre elles ne se privèrent pas de danser et de chanter au son des *darboukas* et des *tbels*, percussions traditionnelles. Fadila était assise sur un grand matelas recouvert de coussins et de tissus chatoyants, elle était le centre d'intérêt de cette fête, on l'entoura, on l'admira, on l'envia. Deux petites filles étaient assises à ses côtés, l'une à sa gauche, l'autre à sa droite, qui tenaient des bougies pendant qu'une femme de la famille, respectable par son âge ou par son pèlerinage à La Mecque, lui imposait dans la paume et sur le bout des doigts le henné du bonheur ; un voile très fin recouvrit sa main pour ne pas tacher les vêtements et pour permettre au henné de sécher, laissant pour plusieurs jours une marque couleur rouille... Puis chaque invitée prit à son tour une noix de henné porte-bonheur dans le creux de sa main et la fête continua jusque tard dans la nuit. Ce soir-là, Fadila n'était ni triste ni angoissée, elle vivait le moment présent comme la reine d'une nuit, entourée de tous ceux qu'elle aimait.

Mise en exposition, assise dans un fauteuil posé sur une estrade, Fadila regardait danser devant elle les cousines, les sœurs, les amies, les matrones du quartier, les voisines, toutes dans leur tenue d'apparat. Hors de la vue des hommes, elles s'appliquaient à trémousser des fesses et à onduler des hanches. Ce spectacle pourrait sembler vain et dénué de sens, mais ce sont les femmes qui choisissent les épouses de leurs fils et elles étaient là, les mères des garçons, elles furetaient parmi les jeunes invitées et cherchaient une fille belle, intelligente, dégourdie... mais docile, serviable timide. Alors il fallait faire bonne figure, se montrer joyeuse sans être délurée, plaisante sans être aguicheuse, sensuelle sans être vulgaire.

Au même moment, la même cérémonie se déroulait au domicile du fiancé. Chez lui aussi toute sa famille s'était réunie, le jeune homme était assis sur un tapis où l'on avait déposé près de lui un foulard de soie neuf et un récipient contenant le henné. Deux femmes proches du marié, la tante paternelle et une cousine, lui imposèrent un peu de henné au centre de la paume de la main comme une *tibhirt*, un jardin, sans doute en signe de fertilité... Certains mariés se contentent de poser simplement l'index dans le henné, faut-il voir là un symbole d'autorité ? Ensuite, les femmes chantèrent et dansèrent, l'ambiance fut très heureuse et détendue, une sorte de hors-d'œuvre à la grande cérémonie du mariage qui devait se dérouler le lendemain.

Le grand jour est maintenant arrivé. Malgré le manque de sommeil Fadila est toujours aussi belle, mais elle a le cœur serré. Dès le matin elle éclate en sanglots, ce qui n'inquiète guère la famille réunie : il est d'usage qu'une fille pleure un peu au moment de quitter le domicile paternel. Ce dont personne ne se doute, c'est que Fadila a accepté ce mariage uniquement pour faire plaisir à ses parents... Ils l'ont harcelée si longtemps, l'acculant finalement à prendre cette décision. Elle a tant hésité qu'ils l'ont d'abord obligée à quitter son travail de secrétaire, puis ils l'ont cloîtrée à la maison jusqu'au moment où, lasse de lutter, elle a accepté le mari choisi par la famille. Mais elle n'a cédé que pour sortir de l'enfermement où elle était condamnée, bien décidée, une fois mariée, à négocier sa liberté ou à divorcer !

C'est donc dans ces conditions pénibles que Fadila affronte sa vie de femme, mais son drame intime et secret est plus profond encore : Fadila n'est pas vierge. Enfin... pas vraiment. Naguère, elle est tombée amoureuse d'un homme qui lui a promis le mariage. Elle était alors heureuse, insouciante, confiante, et elle a tout donné à cet homme qu'elle aimait et qui l'a abandonnée. Sa détresse a été immense, accentuée encore par l'impossibilité de s'en ouvrir à sa mère ou à ses sœurs, elle a même songé au suicide... Heureusement, elle a rencontré par sa collègue de travail une femme médecin experte dans ce genre de situation épineuse. Les drames que ce docteur a connus au sein des familles maghrébines l'ont amenée à mettre sa science au service des malheureuses. Non seulement elle signe volontiers des certificats de virginité à celles qui le lui demandent, mais elle recoud aussi des hymens déchirés. Bien sûr, il a fallu trouver l'argent nécessaire à l'intervention, mais Fadila travaillait à l'époque et, bien qu'elle donnât son argent à ses parents, elle réussit à détourner quelques deniers et conclut un arrangement avec ce médecin complaisant...

Aujourd'hui, Fadila pleure donc sur son sort... Elle quitte sa famille pour épouser un homme qu'elle n'aime pas, même si ses parents lui assurent que c'est un bon parti, un garçon gentil qui lui garantit des conditions de vie facile. De plus, aux dires de sa mère, sa future belle-mère est « moderne », il faut entendre par là que les contraintes habituellement réservées à la bru seront allégées.

Moderne peut-être, mais pas au point d'accepter une fille non vierge... Si cela se savait, Fadila serait rejetée dès le lendemain du mariage et rendue à ses parents comme une marchandise avariée, un fruit pourri. Une fille non vierge est une tache ineffaçable et, sans détour, on l'appelle *m'fesdâ*, ce qui peut se traduire par « abîmée » ou « défaite », défaite de l'éducation sans doute... Ses parents sont alors déshonorés, montrés du doigt et, on l'a vu, de telles situations peuvent se terminer par le meurtre prémédité, organisé, de la jeune fille.

Le danger est donc réel. Tournant et retournant ce problème dans sa tête, Fadila prend soudain conscience que cet hymen refait ne sera peut-être pas assez solide et que cette nuit de noces pourrait bien se terminer en tragédie...

La belle-famille klaxonne maintenant en bas de l'immeuble pour prévenir de son arrivée, le cœur de Fadila se met à battre comme si elle allait à l'échafaud. Toutes ses affaires sont prêtes, sa tante et sa sœur la prennent par le bras et la dirigent dans le salon près de la porte d'entrée où attendent les membres de cette belle-famille venue chercher celle qui doit désormais devenir sa propriété. Fadila prend son sac à main, le serre très fort sous son bras, comme si sa vie en dépendait. Elle a placé au fond de ce sac toute sa vie à venir : le mouchoir qui séchera ses pleurs, le rouge à lèvres, le fard à joues et le khôl qui l'aideront à jouer la comédie... et une petite lame de rasoir. Elle a glissé aussi l'indispensable certificat de virginité que sa mère lui a demandé de garder sur elle pour le cas où, après le rapport nuptial, il y aurait doute. On ne sait jamais, une contestation est toujours possible. Il est arrivé qu'une jeune fille authentiquement vierge saigne trop légèrement ou qu'un homme pris d'une impuissance soudaine se venge de son humiliation en faisant croire que sa jeune femme n'était point pure ! L'obsession du pucelage entraîne une somme de précautions où la médecine même est mise à contribution.

Fadila serre contre son cœur la pièce à conviction. Le

médecin lui a bien dit qu'elle n'avait rien à craindre mais, devant toute cette mascarade, devant tant d'hypocrisie déguisée en fête, elle sent le piège se refermer sur elle... Avant le moment fatal, elle doit subir encore les réjouissances du mariage, les invités à qui il faut sourire, le repas, les *youyous* des femmes qui éclatent comme des cris de victoire... Elle passe comme une étoile filante, indifférente à ces festivités dont elle n'a que faire.

La seule chose qui la réconforte un peu, c'est qu'elle se trouve très belle dans sa robe de mariée, elle éclipse toutes les autres dans sa splendeur d'un jour. Aujourd'hui, elle peut montrer sa beauté, alors que d'ordinaire sa mère ne lui permet ni maquillage ni chaussures à talons, ni bijoux. Aujourd'hui, elle peut se permettre tout ce qui est interdit habituellement. Aujourd'hui, tout cela est légalisé par le mariage et la passation des pouvoirs que son père fait au mari. Désormais les parents de Fadila sont soulagés, ils livrent une marchandise en bonne et due forme, et la jeune fille ne sera plus une charge. Du coup, Fadila voit s'éveiller entre elle et sa mère la solidarité dont elle avait toujours rêvé. A présent, et en toute sincérité, sa mère se rapproche d'elle, le lourd fardeau de l'éducation ne pèse plus sur ses épaules... On surprend même Fadila et sa mère à pleurer dans les bras l'une de l'autre, comme un discours sans paroles, comme deux opprimées qui constatent soudain qu'elles ont le même bourreau. La mère de Fadila regrette-t-elle en ce moment le manque de communication qui les a si longtemps éloignées ? Sans doute pas, c'est la vie, c'est l'œuvre de Dieu qui fait et défait les choses...

Fadila se voit arracher aux bras de sa mère et s'en va avec la plus grande dignité vers sa future maison. Tout se passe comme on le lui avait dit, aucune surprise, pas même au moment où son mari vient la rejoindre dans la chambre nuptiale... En acceptant ce mariage, elle a accepté en elle-même le rachat de sa faute, mais encore faut-il jouer son rôle jusqu'au bout. Elle en fait une question d'honneur, cette « faute » ne doit pas peser sur elle et sur ses parents toute la vie. Aussi, quand son mari entre dans la chambre, elle l'accueille par un sourire en s'efforçant d'être comme on la souhaite, pudique et réservée... Ne sachant pas vraiment comment agir, peu rassurée, elle décide de ne pas bouger et de se faire obéissante. Lors de son premier rapport, elle ne s'était pas posée toutes ces questions, elle s'était simplement laissée aller à des gestes et à des paroles guidés par l'amour. Ce soir, tout est bien différent. Autrefois, les baisers de son amant lui faisaient perdre la tête, ce soir elle n'est préoccupée que d'une seule chose, de son sang qui doit couler sur le drap blanc. Son mari ne tarde pas à s'exercer à la besogne... Il prend son plaisir alors qu'elle souffre de ce membre qui est entré en elle par effraction. Elle attend la douleur, elle la désire même comme un châtiment. Elle passe discrètement le doigt sur son sexe et l'en retire pour voir ce qui coule entre ses cuisses... Elle constate avec effarement que le liquide est plutôt blanchâtre, à peine coloré de rose... Sans paniquer, elle profite du bref moment d'étourdissement de son mari pour prendre la petite lame de rasoir placée dans son mouchoir à côté d'elle, la dirige sous les draps et se coupe entre les cuisses. Le sang coule... Elle se dépêche de serrer entre ses jambes une petite étoffe qu'elle a prévue à cet effet... Elle souffre de la blessure, mais il n'est pas temps de s'apitoyer sur soi-même, il faut maintenant supporter la douleur, rester froide et lucide... Voici comment Fadila sauva son honneur et celui des siens.

Fort heureusement le respect de la tradition ne prend pas toujours l'aspect terrifiant d'une lame de rasoir, et certains couples modernes se plaisent à faire un pied de nez joyeux aux vieilles coutumes. Des jeunes gens qui ont pris une petite avance sur les joies du mariage se mettent d'accord pour trouver une fiole qui renferme un liquide rougeâtre qu'ils répandent généreusement sur le drap, preuve incontestable de la virginité de la mariée ! Les couples ne sont pas si rares aujourd'hui, qui passent leur nuit de noces en voyage ou tout simplement à l'hôtel, loin de la famille. Par ailleurs, des étudiantes ou des filles de classes aisées qui ne se sont guère privées de rapports sexuels à l'occasion d'une rencontre ou d'un voyage à l'étranger n'hésitent pas à se faire refaire des virginités en France ou en Suisse, et même, paraît-il, en Algérie, où des médecins se font payer à prix d'or pour permettre à ces jeunes filles qui ont bien vécu de devenir pour le soir de leurs noces les vierges pures dont chacun rêve. Les plus malheureuses, bien sûr, sont celles qui ne peuvent pas recourir à ce genre de procédés, par ignorance, par manque de moyens, ou qui, simplement, n'ont pas la force de s'imposer et portent jusqu'à la fin de leurs jours le poids de cette faute « irréparable ».

[illegible] coutumes. Des pères gens qui ont [illegible] sur les [illegible] du mariage se [illegible] [illegible] en [illegible] sur la [illegible] de la [illegible] ! La [illegible] qui passent leur nuit de noces en voyage ou tout simplement à l'hôtel, loin de la famille. Par ailleurs, des [illegible] ou des filles de [illegible] de rapports [illegible] d'un voyage à l'étranger [illegible] des vierges et [illegible] en Algérie, on de [illegible] d'or pour permettre à ces [illegible] le soir de [illegible] dont chacun rêve. Les plus [illegible] qui ne peuvent pas [illegible] par ignorance, par [illegible] n'est pas la [illegible] la fin de leurs jours [illegible]

III

LES SŒURS DE SHÉHÉRAZADE

Pour paraphraser Kateb Yacine, on dira qu'une femme qui écrit sur les femmes vaut son double pesant de poudre.

Rachid Mimouni

Il y avait dans les temps les plus reculés, dans cette ville d'entre les villes de la Perse, un sultan nommé Shariar... J'aime ces contes qui évoquent toute la magie de l'Orient ; d'une phrase surgissent des mondes imaginaires, des palais féeriques s'entrouvrent, dans les nuits chaudes et moites l'irréel devient probable et la lune claire étincelle de paillettes d'or pour enflammer les minarets de cités fabuleuses. Au-dessus de tous ces récits plane l'ombre de Shéhérazade, la belle conteuse, la combattante qui, armée de sa seule parole, ébranla la toute-puissance de l'homme. La lutte des femmes hante aussi bien la réalité que l'imaginaire au travers des contes, de la poésie et des récits héroïques.

Or donc, le sultan Shariar ne connaissait plus le repos, son âme était troublée, son esprit tourmenté, le plus sombre des malheurs l'avait frappé depuis cette nuit maudite où il avait surpris, dans les jardins enchantés du palais, ses épouses s'abandonnant à la débauche avec une troupe d'esclaves prompts à satisfaire leurs caprices. Oui, il les avait vus s'ébattre et s'aimer au bord d'une grande pièce d'eau, puis disparaître sans bruit dans les couloirs du gynécée...

– O Dieu, s'était écrié le sultan devant cette cruelle révélation, les épouses d'un souverain tel que moi peuvent-elles être capables de cette infamie ? Après cela, quel prince osera se vanter d'être parfaitement heureux ?

Dans sa rage, Shariar avait fait livrer la première épouse au grand vizir avec l'ordre de l'étrangler, mais sa colère ne s'en trouva pas apaisée. Alors il trancha de sa propre main la tête de toutes ses autres femmes. Comme sa furie n'était point encore calmée, persuadé qu'il n'était pas sur terre une seule fille vertueuse, il prit le parti d'épouser chaque jour une vierge et de la faire étrangler au matin. Moyen imparable de se prémunir contre l'infidélité.

Aussitôt, il ordonna à son vizir de lui amener la fille d'un de ses généraux, il trouva quelques heures de bonheur dans ses bras et la remit, dès l'aube, à son ministre avec ordre de la faire mourir. Le lendemain, on lui mena la fille d'un officier subalterne, puis la fille d'un bourgeois, puis celle d'un commerçant... Le vizir éprouvait, en son cœur, une immense répugnance à exécuter les ordres de son maître, mais il lui devait une obéissance aveugle et exécutait lui-même les jeunes femmes condamnées par le terrible courroux du prince.

Chaque jour le sultan épousait une innocente, chaque matin une femme mourait. De par la ville s'élevait une triste clameur, des pères se lamentaient, des mères laissaient éclater leur douleur... et ceux qui n'étaient point encore frappés craignaient la destinée.

Le grand vizir avait deux filles. L'aînée s'appelait Shéhérazade, ce qui signifie fille de lune, et l'autre Dinarzade, qui veut dire précieuse comme l'or. La cadette était fort jolie et d'une grande sagesse mais sa sœur était plus rayonnante encore. Non seulement elle était si belle que devant elle toutes les autres jeunes filles paraissaient ternes, mais en plus elle avait du courage et de l'esprit, elle s'était initiée aux arts, à la philosophie, à l'histoire, à la médecine, elle avait tout lu et beaucoup retenu, elle composait des vers qui dépassaient par leur charme les plus beaux poèmes des plus grands écrivains de son temps. Et Shéhérazade parla à son père :

– J'ai une grâce à vous demander, je vous supplie très humblement de me l'accorder.

Le vizir aimait si passionnément sa fille qu'il ne pouvait rien refuser à une enfant parée de toutes les vertus.

– Je ne m'opposerai pas à vos désirs, pourvu qu'ils soient justes et raisonnables.

– Ils ne peuvent l'être davantage, et vous en pouvez juger par le motif qui m'oblige à vous le demander. J'ai dessein d'arrêter le cours de cette barbarie que le sultan exerce sur les familles de cette ville. Je veux dissiper la juste crainte que tant de mères ont de perdre leurs filles d'une manière si funeste.

Le vizir hocha la tête tristement :

– Votre intention est fort louable, ma fille, mais le mal auquel vous voulez mettre fin me paraît sans remède. Comment prétendez-vous en venir à bout ?

– Mon père, reprit Shéhérazade, et sa voix était si douce qu'elle paraissait le chant d'un oiseau du matin, mon père, puisque par votre entremise le sultan célèbre chaque jour un nouveau mariage, je vous conjure, par la tendre affection que vous avez pour moi, de me procurer l'honneur de sa couche.

Le vizir fut rempli d'horreur à l'idée de donner sa propre fille à ce monstre qui assouvissait à chaque aurore sa colère dans le sang.

– O Dieu, avez-vous perdu l'esprit, ma fille ? Pouvez-vous me faire une prière si dangereuse ?

– Je connais, mon père, tous les risques que j'encours, et ils ne sauraient m'épouvanter. Ou bien je grandirai dans l'estime de mes semblables en 'es délivrant du péril qui les menace, ou bien je mourrai et périrai sans espoir de salut, partageant le sort de celles qui sont mortes avant moi...

Et je vois Shéhérazade prononcer ces paroles sur un lit de narcisses, tenant dans sa main les deux plateaux de la balance de la Justice. D'un côté se trouve tout le poids de sa vie, de l'autre l'émerveillement des contes. Elle se dresse contre tous et contre la volonté de son père avec pour seule arme le ruban magique de ses récits...

– Non, non, cria le vizir. Quand le sultan m'ordonnera de vous enfoncer le poignard dans le sein, hélas ! il faudra bien que je lui obéisse. Quel triste sort pour un père ! Ah ! si vous ne craignez point la mort, craignez du moins de me causer la douleur mortelle de voir ma main rouge de votre sang...

– Encore une fois, insista Shéhérazade, accordez-moi la grâce que je vous demande. Pardonnez-moi : si, j'ose vous le déclarer, vous vous opposiez vainement à mon projet, quand la tendresse paternelle refuserait de souscrire à la prière que je vous fais, j'irai me présenter moi-même au sultan.

Le père se laissa convaincre et s'en alla auprès de son maître pour lui annoncer que, la nuit prochaine, il lui livrerait Shéhérazade. Le sultan fut fort étonné de ce sacrifice :

– Comment avez-vous pu vous résoudre à me livrer votre propre fille ?

– Elle préfère à sa vie l'honneur d'être une seule nuit votre épouse, répondit seulement le ministre.

– Mais ne vous trompez pas, vizir, gronda le sultan,

demain, en remettant Shéhérazade entre vos mains, j'entends que vous lui ôtiez la vie. Si vous y manquez, je vous jure que je vous ferai mourir vous-même.

– Mon cœur gémira sans doute en vous obéissant, mais la nature aura beau murmurer, quoique père, je vous réponds d'un bras fidèle...

Shéhérazade se montra fort heureuse de cette prochaine et brève union. Elle se prépara à paraître devant son époux d'une nuit, mais avant de partir elle appela Dinarzade :

– Ma chère sœur, j'ai besoin de votre secours, je vous prie de ne pas me le refuser. Notre père va me conduire chez le sultan. Que cette nouvelle ne vous épouvante pas, écoutez-moi seulement avec patience. Dès que je serai devant le sultan, je le supplierai de permettre que vous couchiez dans la chambre nuptiale, afin que je profite, cette nuit encore, de votre compagnie. Si j'obtiens cette grâce, comme je l'espère, souvenez-vous de m'éveiller demain matin, une heure avant le jour, et de m'adresser ces paroles : "Ma sœur, si vous ne dormez pas, je vous supplie, en attendant le jour qui paraîtra bientôt, de me raconter un de ces beaux contes que vous savez." Aussitôt je vous en conterai un, et je délivrerai par ce moyen tout le peuple de la consternation où il se trouve.

Le soir même, le grand vizir conduisit sa fille au palais. Shariar ordonna à la jeune fille de se dévoiler et fut charmé par sa beauté. Mais il la vit en pleurs et lui demanda le sujet de cette alarme :

– J'ai une sœur, répondit Shéhérazade, que j'aime aussi tendrement que j'en suis aimée. Je souhaiterais qu'elle passât la nuit dans cette chambre pour la voir et lui dire adieu, une fois encore. Voulez-vous bien que j'aie le consolation de lui donner ce dernier témoignage de mon affection ?

On fit chercher la jeune sœur qui dormit au bas de l'estrade où s'étaient étendus Shéhérazade et le sultan...

Une heure avant le jour, Dinarzade s'éveilla :

– Ma chère sœur, si vous ne dormez pas, je vous supplie, en attendant le jour qui paraîtra bientôt, de me raconter un de ces beaux contes que vous savez...

– Voulez-vous bien me permettre de donner cette satisfaction à ma sœur ? demanda Shéhérazade au sultan.

Et, toujours tournée vers le prince, elle commença ainsi :

– Il était une fois un marchand qui possédait de grands biens. Un jour qu'une affaire l'appelait assez loin de chez lui, il monta à cheval et partit avec une valise derrière lui...

Et l'histoire se déroula devant Shariar. Les inflexions de la voix de Shéhérazade faisaient vivre toute une épopée. Mais soudain, la conteuse se tut, elle interrompit son récit au moment où le riche marchand était aux prises avec un démon qui voulait lui arracher la vie... Le jour était levé et le sultan devait s'en aller faire sa prière et tenir son conseil.

– O Dieu, ma sœur, s'exclama Dinarzade, que votre conte est merveilleux !

– La suite est encore plus surprenante, annonça Shéhérazade, et vous en tomberiez d'accord, si le sultan voulait me laisser vivre encore aujourd'hui et me donner la permission de la raconter la nuit prochaine.

Le prince songea que la mort viendrait bien assez tôt trancher les jours de son éphémère épouse, et pour connaître la fin du conte il l'épargna. Durant toute la journée, le sultan régla les affaires de son empire et, quand la nuit tomba, il s'endormit à nouveau à côté de Shéhérazade. Le lendemain, une heure avant le jour, Dinarzade appela sa sœur :

– Si vous ne dormez pas, je vous supplie, en attendant

le jour qui paraîtra bientôt, de continuer le beau conte d'hier...

Et Shéhérazade reprit le fil de son récit. Mais les histoires s'entremêlaient et, chaque matin, lorsque les premiers rayons du soleil faisaient pâlir l'obscurité du ciel, elle s'interrompait brusquement, promettant la suite pour la nuit suivante. Il se passa ainsi mille et une nuits.

Au bout de ce temps, le sultan ayant été séduit par la grande sagesse de Shéhérazade, il s'adressa à elle en ces termes :

– Je vois bien, aimable Shéhérazade, que vous êtes inépuisable et que vos contes sont un puits sans fond dans lequel vous puisez toujours. Il y a assez longtemps que vous m'en divertissez, vous avez apaisé ma colère et je renonce volontiers, en votre faveur, à la loi cruelle que je m'étais imposée. Je veux que vous soyez regardée comme la libératrice de toutes les filles qui devaient être immolées à mon juste ressentiment.

Shéhérazade, constamment éveillée pour arracher à la mort ses sœurs infortunées, n'est-elle pas la première féministe du monde ? Cette légende nous apprend que les femmes peuvent prendre en main leur destinée et refuser leur sort. Sous son voile de femme soumise, Shéhérazade cachait une volonté qui jamais ne plia. Avec le temps, elle parvint à éroder la volonté de l'homme pour obtenir le salut de ses sœurs.

Elle est toujours là, Shéhérazade, elle veille en chacune d'entre nous comme une gardienne de notre nuit. Pour elle, croire au merveilleux c'est croire en l'être humain, c'est lui prêter des facultés exceptionnelles, sublimer la nature, ouvrir la voûte céleste au rêve, peupler le monde d'espèces divines, de génies, d'ogres, de diablotins et de héros au visage noble, c'est exprimer notre peur de la solitude, de l'isolement, de l'inconnu, c'est transcender notre modeste condition terrestre.

Des penseurs ont voulu opposer le Coran aux *Mille et Une Nuits*. L'un serait le livre de la foi et de la loi, l'autre le livre du désir et de l'imaginaire. Deux œuvres fondatrices et fondamentales, contraires et complémentaires comme le sont, dans le monde musulman, l'homme et la femme qui s'attirent et se rejettent à la fois. C'est en pensant à cela que, dans mes spectacles, je cite parfois un dicton algérien qui nous enseigne que l'homme et la femme sont comme le soleil et la lune : ils se voient bien mais ne se rencontrent jamais.

Lorsque je songe au sort de la femme, mon cœur s'envole vers Shéhérazade et je loue sa longue patience. A nous aussi d'être patientes, jusqu'au jour où la parole des femmes toujours répétée produise comme celle de la fille du vizir son effet magique, et fasse de nos hommes des Shariar repentis et pleins d'amour. Ne sommes-nous pas les nouvelles Shéhérazade ? A travers les visages de l'islam, de l'amour, de la passion, des coutumes, de la sagesse, des mystères, des cauchemars, mais également des rêves et des espoirs, ne sommes-nous pas les héritières de ces femmes qui ont marqué le passé ? Ne devons-nous pas, nous aussi, raconter la suite de l'histoire, celle dont on n'arrête pas le cours : l'histoire de la femme ?...

J'ai été longtemps sans savoir que, dans ma révolte, j'étais l'héritière d'une longue lignée de femmes qui, jadis, ont transgressé, elles aussi, les lois de l'ordre masculin. Sans le savoir, car l'histoire n'est pas loquace sur ces rebelles du passé. Ni l'école, ni la famille ne viennent nous révéler ces faits hauts en couleur, peut-être par crainte de voir les petites filles se mettre à vouloir ressembler à ces modèles de combattantes ! On préfère nous répéter le vieil adage : « Notre secret est un secret dans un secret, le secret de quelque chose qui reste voilé, un secret qui est voilé par un secret. » Mais ce secret que l'on veut nous imposer, nous avons le devoir de le dévoiler. Et j'ai voulu me pencher sur cette face cachée de l'histoire où la femme a sa place.

Même si Shéhérazade appartient à la légende, je mets à ses côtés, comme une sœur très proche, l'image bien réelle de la Kahina, cette Berbère rétive du VIIe siècle qui combattit pour la liberté les armes à la main. Reine de son peuple, à la tête de ses troupes formées de guerriers et de femmes redoutables qui déboulaient à cheval sur les armées ennemies, elle mena de victorieuses batailles contre l'envahisseur arabe. Et puis, trahie par les siens, elle fut vaincue et la Berbérie livrée aux assauts des occupants.

L'esprit de cette reine m'inspire depuis longtemps. Cette image de la résistance issue de ma terre façonne mon âme. Elle apparaît dans mon rêve comme un grand oiseau doré. Son caftan d'or arrive à mi-cuisses et lui fait une armure, elle est recouverte d'un grand burnous de soie rouge et son écharpe de voile blanc flotte au vent ; sur ses chevilles s'entrelacent des lanières de précieux métal qui remontent sur sa jambe, un casque d'argent auréolé d'un soleil éblouissant la rend lumineuse...

– Je suis celle qui incarne la résistance héroïque d'un peuple aux résignations stériles. Je suis celle qui porte la bannière des révoltes. Je suis celle en qui est passé l'amour indomptable de la liberté.

Ainsi parlait la Kahina. Par amour de la vie, je reprends ces paroles comme un flambeau.

Ces mots, d'autres femmes auraient pu les prononcer.

Car il n'y a pas eu qu'une seule Kahina. Tout au long de l'histoire, quand une prophétesse de la liberté tombait, une autre se levait pour brandir la lueur fugace de l'affranchissement.

Après la Kahina vint la Kheïra. Elle mobilisa une armée pour défendre sa terre montagneuse, le Kef Lakhdar. Quand Abdallah, le général arabe, s'approcha de ces sommets, elle fit peindre les rochers de rouge et le fier soldat, voyant au loin cette nuée de couleur, crut se trouver face à toute une armée berbère. Il n'osa pas attaquer et fit demi-tour. Mais bien vite, il comprit la ruse et lança alors l'anathème sur la région :

– Tu m'as humilié, ô Kef Lakhdar. Que Dieu humilie à tout jamais tes habitants !

Et par la force de cette imprécation, tout le pays fut réduit en son pouvoir. La Kheïra elle-même périt, précipitée avec son armée au bas de la falaise. On voit aujourd'hui encore sur les rochers de la corniche des traces noires, et les vieux villageois assurent que ce sont les restes pétrifiés des soldats maudits jadis par Abdallah.

Entre l'histoire et le conte, le nom de plusieurs femmes intrépides nous a été transmis. Les récits, bien souvent, se ressemblent : ces combattantes chevauchaient à la tête de troupes bien décidées à bouter l'envahisseur hors du pays ! Même si la geste prend des aspects mythiques et allégoriques, ces chroniques rapportées de génération en génération nous montrent que la femme n'était alors point cantonnée à des tâches subalternes. Dans cette période de l'islam encore balbutiant, elle savait s'imposer, forcer le respect et galvaniser des troupes pour s'élancer à l'assaut des cavaliers venus de l'autre versant des montagnes.

Quand elles n'étaient pas des combattantes, les femmes parvenaient tout de même à user de stratagèmes pour repousser l'ennemi. Alors que Tlemcen était assiégée et affamée, la maraboute Setti fit manger le peu d'orge qui restait encore dans les réserves à une chèvre et la poussa hors de la ville. Quand les assaillants eurent tué la bête, ils constatèrent avec effarement qu'elle était bien nourrie et imaginèrent que les habitants de la cité encerclée regorgeaient de vivres. Affolés par la perspective d'un long siège, ils s'enfuirent en désordre...

Une autre version nous raconte que des burnous fraîchement lavés furent mis à sécher en plein soleil, sur les remparts. Les troupes faisant le siège de la place depuis plusieurs années, jusque-là persuadées que la population manquait d'eau et allait bientôt devoir déposer les armes, levèrent immédiatement le camp devant cet incompréhensible miracle.

Astucieuses et courageuses, les femmes ne le furent pas du seul côté des Berbères : la figure de Djazya est légendaire dans tout le Maghreb. De nombreux poèmes racontent l'épopée de cette fille des peuplades hilaliennes, ces tribus venues du fond de l'Arabie au IXe siècle pour envahir l'Afrique du Nord. Parvenues dans les environs de Tunis après un long périple, les hordes épuisées demandèrent l'hospitalité au prince de la ville, Ben Hachem. Celui-ci consentit à abriter les troupes à la condition que lui fût livrée Djazya, dont il avait entendu vanter la beauté... Pour sauver sa tribu de la famine, la jeune fille accepta de se sacrifier, mais sa ruse allait bientôt causer la perte du prince et ouvrir la ville aux hommes venus d'Arabie...

Enjôleuse, Djazya fit mine de se soumettre. Quand elle se trouva face au maître de Tunis, elle lui proposa une partie d'échecs avec cette surprenante récompense pour le vainqueur : le plaisir de regarder nu son adversaire ! A la fin de la première partie, la jeune femme fut battue, ou plus exactement se laissa battre, et elle se dévêtit. Mais elle était encore habillée de sa longue chevelure qui la couvrait entièrement : sa pureté était sauve.

Elle remporta la seconde partie, mais le prince, dont la chronique nous assure qu'il était couvert de pustules, n'osa se montrer dans sa nudité.

– Demande-moi tout ce que tu voudras... proposa-t-il à Djazya.

Humblement, elle demanda la permission d'aller voir les siens. Voilà donc Ben Hachem parti avec elle à la recherche de la tribu des Hilaliens... Mais celle-ci demeurait introuvable et, durant quarante jours, le prince erra dans le désert jusqu'au moment où, enfin, il entrevit le campement. Quand ils y parvinrent, Djazya refusa de s'en retourner avec lui. Ben Hachem, rendu fou de colère par cette trahison, ordonna à son armée d'attaquer ceux qui lui avaient pris la femme... L'assaut fut victorieux, et le prince récupéra sa proie. Mais Djazya mit à profit, une fois encore, sa merveilleuse chevelure. Lors du voyage de retour, régulièrement ses mèches s'accrochaient aux branches et retardaient la marche de l'armée. Rattrapés par les Hilaliens, les soldats de Tunis furent défaits et le prince, seul survivant, rentra seul dans sa cité vaincue où il mourut de chagrin. Djazya, elle, retrouva définitivement sa tribu. Et son souvenir est toujours entretenu par la légende, en Tunisie comme en Algérie.

Dans les siècles qui suivirent, les femmes, longtemps encore, influencèrent l'Histoire. En 1724, lors d'une attaque surprise menée par les Turcs dans le nord-est algérien, entre Constantine et Tebessa, le cheikh rassembla à la hâte ses troupes pour organiser la défense. Las, les soldats étaient fatigués ; moralement éprouvés par une suite de défaites, ils n'avaient aucune envie de combattre. C'est alors que se leva Euldja, la fille du chef. Elle parcourut les oueds sur son cheval pour ameuter les femmes et les filles :

– Puisque les hommes n'ont pas le courage de nous défendre et que les Turcs viendront nous violer sous leurs yeux, allons nous-mêmes vendre chèrement notre vie et notre honneur, et ne restons plus avec ces lâches !

Et bientôt, toutes la suivirent en une cavalcade qui faisait trembler le désert. Cette troupe féminine s'arrêta devant les hommes réunis et Euldja, se dépoitraillant, leur cria :

– Qui voudra sucer de ce lait, qu'il me suive !

Et ainsi l'armée entière se lança dans la bagarre, bousculant les lignes turques en un combat sanglant qui dura trois jours. Galvanisés par Euldja, soldates et soldats remportèrent une bataille mémorable dont les échos victorieux se font encore entendre dans les chansons.

A la même époque, dans le nord du Sahara, une autre femme, Oum-Hani, menait ses troupes au combat, chevauchant une mule, une simple baguette à la main. Elle attira son ennemi, le sultan de Touggourt, dans un véritable traquenard : elle l'exécuta purement et simplement au cours d'une fête organisée en son honneur. Ce meurtre politique accompli, il ne lui restait qu'à faire marcher ses hommes vers l'oasis où se cachait l'armée du sultan assassiné. Elle remporta une victoire totale et rentra dans Touggourt pour soumettre la ville à sa domination.

Toutes ces belles images du passé, ancrées dans l'Histoire et rehaussées d'une touche légendaire, me donnent la force de trouver des racines spirituelles dans ma terre d'origine, de retrouver dans la mémoire de celle-ci une famille proche par le cœur. Bien sûr, ces femmes ne furent pas toutes des héroïnes irréprochables, elles participèrent aux luttes sanglantes de leur temps, elles commirent parfois des meurtres pour imposer leur règne, mais leur ineffaçable présence dans les annales de mon peuple me rend plus forte. Elles ont su échapper à leur destin et se mesurer aux hommes. Elles ont bâti l'Histoire. Je les admire, ces femmes, avec leurs violences et leurs excès, pour avoir transcendé leur condition.

Plus proche de nous, le XIXe siècle nous offre d'autres portraits à l'image de Shéhérazade ou de la Kahina.

En 1833, une femme régnait sur l'oasis de Touggourt : Lalla Aïchouch avait été nommée régente en attendant la majorité de son fils. Elle assura son pouvoir d'une main de fer. Elle se plaisait à paraître les armes glissées dans sa ceinture, fumait ostensiblement du kif et conféra publiquement les honneurs les plus hauts à l'un de ses jeunes favoris. Lorsque le temps fut venu pour son fils d'exercer ses responsabilités, Lalla Aïchouch ne se retira pas et continua d'user de son influence au sein de la *djemââ*, le comité des Sages. Obstinément, elle copia les attitudes de l'homme, bien décidée à démontrer que la femme pouvait, elle aussi, se saisir des rênes du commandement.

Un peu plus tard, la guerre de colonisation menée par la France allait être une occasion nouvelle de voir les femmes se dresser contre l'occupant. La grande épopée féminine entamée jadis se poursuivait avec la même obstination. Là aussi, des héroïnes ont laissé leur nom dans la chronique.

La Kabylie garde pieusement la mémoire de Fathma, la

prophétesse de Soumeur que les Français appelèrent « la druidesse musulmane ». En effet, sa réputation de devineresse s'étendait loin à travers le pays, et elle avait aussi le pouvoir de soigner les maladies et de conjurer le mauvais sort.

En juin 1854, le général Randon, gouverneur français de l'Algérie, bientôt promu maréchal, décida de pousser ses troupes jusqu'au Djurdjura afin de réduire les velléités de résistance des tribus berbères qui, depuis vingt ans, refusaient l'autorité du colonisateur. Avec son frère, Fathma organisa la lutte contre l'envahisseur, et l'on vit la jeune femme sur la ligne de front, face aux divisions françaises. L'apparence étrange, presque surnaturelle, de cette femme respectée de tous frappa les observateurs : du khôl noir sous ses yeux noirs, du carmin aux joues, du henné sur les ongles, des tatouages d'un bleu sombre sur le visage, sur la tête un grand voile rouge dont s'échappaient de longues mèches soigneusement tressées... Elle galvanisait les hommes, organisait les corps de *moussabelines*, les volontaires de la mort qui partaient au combat liés entre eux aux genoux pour se faire tuer dans une résistance désespérée.

Les Français ravagèrent les villages mais la résistance dura encore longtemps. Trois ans plus tard, des troupes importantes envoyées par le maréchal Randon menèrent la dernière bataille. La Kabylie allait succomber sous le nombre des assaillants. Retirée dans un village des hauteurs, Fathma fut faite prisonnière. Lorsque les soldats français défoncèrent la porte de la maison où elle s'était refugiée, elle s'avança, belle et hautaine, la robe couverte de bijoux. D'une main ferme, elle écarta les baïonnettes pointées sur elle. Internée à Tablat, elle mourut dans sa sinistre prison quelques années plus tard : elle avait à peine trente-trois ans. Aujourd'hui encore, les femmes de la région viennent prier sur la tombe de cette combattante élevée au rang de sainte par la ferveur populaire.

La guerre d'Indépendance menée contre la France dès 1954 allait permettre, une nouvelle fois, aux femmes de brandir le drapeau de la liberté. Dans tout le pays des rues, des boulevards, des écoles portent le nom de ces héroïnes : Ourida Meddad, Malika Gaïd, Hassiba Ben Bouali, Naciba Malki et tant d'autres. Si l'Histoire officielle reste discrète sur les grandes figures du passé lointain, ces combattantes sont célébrées régulièrement dans la presse algérienne. Pour servir l'histoire idéologique écrite par le FLN, chaque anniversaire, chaque occasion sont saisis pour rappeler le courage de ces femmes tombées les armes à la main.

Toute cette épopée surgie du passé rend plus contradictoire encore la situation de la femme dans le Maghreb d'aujourd'hui. Comme si rien ne s'était passé, il lui faut lentement reconquérir ses droits un à un. Une lutte épuisante et acharnée que bien des filles mènent au prix de déchirants drames familiaux. Dans l'institution du mariage se concentre d'une manière presque caricaturale tout l'asservissement féminin. Souvent, la jeune fille n'a d'autre choix que de se soumettre aux décisions de la famille, même si une vie de frustration et de regrets doit s'ensuivre. La pression du groupe est si forte qu'il est terriblement difficile d'y échapper. Parfois pourtant le désespoir se fait trop violent, et la fiancée entre en lutte ouverte avec son milieu pour obtenir le simple droit de vivre à sa guise.

Bien souvent les femmes, croisées après un spectacle ou au hasard de rencontres, me confient leur histoire comme pour se soulager d'un poids trop lourd.

Lorsque Jalila m'a raconté l'épisode le plus cruel de sa vie, sa voix se nouait parfois (la révolte contre les siens se fait toujours dans la douleur), elle s'interrompait quelques instants, plantait son beau regard de braise dans le mien et reprenait le fil de son récit.

Elle vivait alors dans une petite ville de l'Oranie, cette jeune fille dont on disait que la nature l'avait dotée de tous les charmes et de toutes les délicatesses. Sa mère l'avait parfaitement élevée, lui répétant sans cesse le dicton : « Chaque doigt doit connaître une profession. » En effet, Jalila, de ses longues mains fines, s'appliquait à la cuisine, au ménage ou à la couture, et son habileté était celle d'une fée quand elle confectionnait la *chmika*, la dentelle traditionnelle ; elle savait aussi avec art composer les arabesques en fil doré qui rehaussaient ses robes modestes et sages.

En fait, Jalila savait tout faire dans la maison, elle pouvait seconder ou même remplacer sa mère dans les tâches ménagères. Heureusement, celle-ci n'en profitait pas outrageusement et lui permettait tout de même d'aller s'instruire... Une chance que beaucoup de ses camarades n'avaient pas. Après quelques études primaires, elles restaient à la maison, sous la férule d'une mère parfois trop possessive.

Le bonheur de Jalila était d'avoir des parents qui souhaitaient donner un bagage culturel à leur enfant. Heureuse, chantonnant, Jalila partait à l'école du haut de ses douze ans. Hélas ! ce temps béni et insouciant ne dura pas longtemps. A quatorze ans, elle ressemblait déjà en tout point à une femme accomplie : poitrine arrogante, hanches bien dessinées, longues jambes, lèvres charnues et boucles en accroche-cœur. Il n'était plus temps de laisser cette petite femme s'en aller seule à travers la ville, soumise à tous les regards.

– L'année prochaine, nous te marierons ! lui annonça sa mère.

– Jamais ! Jamais ! Je veux rester ici ! pleura Jalila.

Les parents, devant le désespoir de leur fille, acceptèrent de patienter un peu avant de lui donner un mari. Jalila put s'épanouir. Dans la rue, chacun se retournait pour contempler cette femme-enfant. Elle-même se rendait compte de l'effet qu'elle produisait sur les hommes : cela la troublait et lui faisait peur. Elle en devenait timide, effacée, elle n'osait pas soutenir le regard masculin, cette lueur étrange la gênait profondément et son éducation lui imposait une conduite stricte et réservée. Aussi affichait-elle un air pudique en baissant les paupières, portant une attention vétilleuse au moindre geste, au moindre mouvement de cils qui auraient pu ternir sa réputation et celle de sa famille.

Décidément, il était temps de la marier, quelles que soient ses réticences ! Pour commencer, dans la crainte du déshonneur, on lui supprima définitivement l'école et on limita ses sorties à des visites familiales, rendues toujours sous bonne garde. Dans cet ennui savamment entretenu, Jalila connaissait tout de même quelques instants de bonheur. Elle se rendait parfois aux bains avec sa maman et quelques amies. Devant les mosaïques et les vasques d'eau fraîche, les femmes déambulaient entièrement nues ou drapées dans des *foutas*, sortes de paréos aux rayures chatoyantes. Elles s'allongeaient sur les tapis, par groupes de deux ou trois... Ici, dans leur nudité, les femmes n'avaient plus rien à se cacher. Jalila découvrit dans cette intimité les secrets des femmes, et particulièrement les sortilèges. Elle sut comment il fallait s'y prendre pour éloigner une rivale, pour récupérer l'amour d'un mari indifférent, ou encore pour soumettre à sa volonté un fils ou une bru. Elle aimait cette atmosphère faite de complicité autant que de mystère, et elle restait parfois la journée entière dans la chaleur étouffante du hammam.

Jalila vivait finalement une vie paisible, même si elle ne sortait pas comme elle l'aurait voulu, même si elle pensait avec regret à une carrière professionnelle qui n'était plus qu'un espoir enfui... La jeune fille était en fait une rêveuse et s'en remettait volontiers au destin. Dans ses moments de lucidité, pourtant, elle était rongée de solitude : personne à qui se confier, pas une amie à qui raconter ses doutes, ses déceptions, ses désirs aussi. Sa vie défilait sans passion, elle dont le tempérament fougueux lui avait valu le surnom de *Lafâà*, sorte d'ogresse monstrueuse ! Mais qui aurait-elle bien pu manger, cette ogresse recluse dont on s'ingéniait à limer les crocs ?

Dans ses rêves, Jalila s'imaginait étendue des nuits entières sur des coussins en compagnie d'un beau jeune homme, s'offrant aux plaisirs de la conversation et de la séduction. Elle se voyait beauté divine goûtant les mots de son amant imaginaire comme une liqueur exquise. Pourquoi fallait-il sortir de ce songe merveilleux pour retrouver un quotidien morne et insipide ?

Pourtant, Jalila ne manquait pas de prétendants. Les uns la désiraient pour sa beauté, les autres pour son éducation convenable et ses bonnes manières, d'autres encore par pur intérêt, car elle était d'une famille aisée... et tous parce qu'elle était vierge, jeune et jolie. Ses parents la pressaient de choisir, d'accepter l'un de ces partis, mais elle s'y refusait obstinément, prétextant qu'elle avait encore bien le temps de se ranger.

Mais bientôt le ton changea. Jalila avait à présent dix-neuf ans, il était urgent de la marier. Si elle ne choisissait pas elle-même un époux, son père lui en imposerait un. Jalila riait. Elle ne prenait pas ces menaces au sérieux, elle aimait ses parents et les narguait d'un sourire.

– Comment voulez-vous me forcer ? interrogeait-elle

gaiement. Je ne me marierai jamais et surtout pas avec un inconnu !

Toute la famille se préoccupait maintenant de ce mariage tant retardé.

– Avec cette ogresse, rien ne sera possible ! grondait la tante à l'adresse de sa sœur, et c'est toi qui seras la risée de tous... Si elle ne se marie pas bientôt, personne n'en voudra plus ! Ne t'endors pas, sois maligne ! Fais attention, ces choses-là sont affaires de femmes et ce n'est pas de la plaisanterie !

Jalila fut donc sermonnée par sa mère qui lui fit comprendre que l'heure était grave, qu'il en allait de la réputation des siens, qu'elle resterait vieille fille, que sa beauté ne durerait pas éternellement, que les amies de son âge étaient déjà toutes mariées...

– Tu ne te rends pas compte, tout le monde te montre du doigt !

Après ces paroles définitives, la mère vanta les mérites du fiancé choisi par la famille : moderne, venant de France, évolué, gentil, travailleur...

– Même si tu me maries, dit Jalila avec colère, je reviendrai la nuit même et aucun homme ne pourra me garder !

– C'est ça, lui répondit sa mère, marie-toi et reviens après. Le principal, c'est que tu fasses le premier pas.

Et la jeune fille se résigna. On prépara donc son mariage en grande pompe, avec une telle ferveur qu'il ne pouvait être que grandiose et réussi. La date, la dot, tout fut fixé par le père. On ne recula devant aucun sacrifice, car il est important que la fête soit belle. Même s'il faut s'endetter pour longtemps.

Tout le monde se mobilisa et s'ingénia à faire oublier à Jalila ses hésitations et ses refus. Autour d'elle scintillaient les bougies dorées, les fleurs, les rubans. Elle était couverte de diadèmes, de ceintures, de colliers, de bracelets, de bagues...

Dans l'ouest algérien, la richesse se mesure aux bijoux que le mari dépose dans la corbeille. Cela fait partie de la dot et c'est une obligation. On n'a jamais vu une mariée sans bijoux. Au cours de la soirée de noces, la coutume consiste à déballer un à un les cadeaux offerts par la belle-famille sous les yeux de l'assistance ébahie. Chaque objet est brandi, soigneusement expertisé, encensé et acclamé par tous les invités. A chaque paquet enrubanné de bolduc ou de tulle, la salle entière retient sa respiration... Tandis que chacun s'interroge sur le contenu mystérieux, le cadeau est lentement dévoilé. Les bijoux s'entassent alors dans la corbeille. A ces présents remarquables, d'autres objets symboliques viennent se mêler : des œufs peints en or, signe de fécondité, des bougies qui apporteront l'éternelle lumière...

Jalila en voulait au destin de l'avoir fait naître fille avec la soumission pour seul avenir. Elle en voulait aussi un peu à tout le monde, à sa famille, à sa belle-famille, à la terre entière. En elle-même, elle se répétait qu'elle n'était pas une marchandise dont on pouvait se débarrasser si aisément. En entrant dans cette mascarade, elle se jura de revenir chez ses parents le soir même, comme elle l'avait annoncé.

Cette noce était-elle vraiment la sienne ? Jalila se trouvait dans une sorte de brouillard qui lui masquait la réalité. Elle reconnaissait à peine ses tantes qui l'entraînaient dans une chambre voisine pour enfiler les différentes parures qu'elle se devait de porter devant les invités. La stupéfaction s'exprimait bruyamment à chaque nouvelle tenue, encore plus belle que les précédentes. Celle-ci parme, agrémentée de dentelle ; celle-là en satin rouge à volants de perles ; cette autre bleue, aux manches ballon, entièrement recouverte de tulle rehaussé de paillettes, ou encore ce caftan d'argent plus lourd qu'un sac de semoule et tellement imposant que seuls la bouche rouge de Jalila et ses yeux lumineux arrivaient à en dominer l'éclat.

Devant les *youyous*, la jeune femme esquissait un discret sourire : une mariée doit rester de marbre.

– Sois hautaine, lui avait ordonné sa mère. Tu n'es pas une fille de rien ! Il faut leur en mettre plein la vue !

Jalila restait immobile, l'esprit ailleurs, songeant au plan qu'elle avait mis au point... Il se faisait déjà tard. Deux de ses tantes l'entourèrent, la prirent par le bras et l'aidèrent à descendre de son fauteuil. Elles entrèrent toutes trois dans une chambre claire, décorée de bougies et de fleurs, au milieu de laquelle trônait un grand lit recouvert de coussins de satin rose et blanc. C'était la chambre nuptiale. Jalila sentit son cœur faire un bond, elle quittait un univers sécurisant pour l'inconnu. Elle ne savait rien des hommes. Tout ce qu'on avait pu lui dire, tout ce qu'elle avait pu entendre s'était envolé pour laisser place à une angoisse dans laquelle elle se débattait seule.

– Assieds-toi, Jalila... pria doucement l'une de ses tantes tout en lui retirant le diadème qui parait sa chevelure.

La seconde l'embrassa et lui parla :

– C'est le moment de montrer que tu es une femme, et de faire honneur à ta famille. Quand ton mari entrera, ne bouge pas ! Contente-toi de lui sourire. Tu verras, il est très gentil. Ecoute-le attentivement et fais ce qu'il te demande. Tout se passera bien, tu n'es ni la première ni la dernière. Nous sommes toutes passées par là et toi, tu as de la chance : il a promis de t'emmener en France !

« Non, pensait Jalila, cet homme ne me fera pas peur !

Je lui dirai que je ne veux pas de lui, que tout ceci est un malentendu... » Tout ce qu'elle dirait à cet inconnu avait été soigneusement préparé depuis des jours et des jours, chaque mot était prêt et constituait son secret. Elle n'écouta que très vaguement les rabâchages de ses tantes et fut plutôt soulagée de les voir enfin quitter la chambre.

Maintenant, Jalila était seule. Elle regarda le plafond, les meubles, cette pièce inconnue... Derrière la porte, elle savait que toute la famille réunie attendait la pièce à conviction : le fameux drap taché de sang, la preuve qu'elle était une fille sérieuse, le résultat heureux d'une bonne éducation. Le mari devrait le leur jeter triomphalement le moment venu...

Il entra, adressa un large sourire à sa femme qui baissa les yeux, par réflexe, comme elle avait appris à le faire. Il fut évidemment ravi de cette attitude et s'approcha d'elle...

– Ne me touche pas ! hurla-t-elle soudain alors qu'il n'avait pas encore fait un geste. Ne me touche pas !

Il la trouva ingénue à souhait et commença un simulacre de cour assidue mais rapide. La jeune fille s'échappait et il la suivait autour du lit. Il la saisit enfin par le bras et la plaqua énergiquement contre le mur...

– N'aie pas peur, murmura-t-il, je ne te veux aucun mal.

Et, joignant le geste à la parole, il l'attira contre lui. Dégoûtée, elle le bouscula dans un mouvement de fureur et sa robe se défit entièrement... Il n'avait pas eu à s'échiner sur des agrafes : grâce à la complicité active de la mère et de la couturière, la robe avait cédé sous le premier mouvement un peu brusque ! Décidément, rien n'avait été oublié. La mère de Jalila avait tout prévu, sauf peut-être la détermination de sa fille.

Bien des fiancées, en effet, font mine de s'opposer au mari choisi pour elles : les mères connaissent ce genre de réaction. Mais, en général, au bout d'un moment la jeune fille se résigne et subit son sort comme une fatalité.

« Mais comment font-elles, toutes, pour accepter cela ? s'interrogeait Jalila. Voici un homme qui veut me soumettre, il est là devant moi tel un lion qui souhaite me dévorer. Il lui suffit donc d'être un homme pour user de sa puissance ? Qu'espère-t-il ? Que je m'allonge, alors que je ne l'aime pas ? » Jalila était révoltée, la trappe dans laquelle elle était tombée avait été ouverte par sa propre mère ! « Je préfère mourir »... songea-t-elle. Et son visage se fit blême, tremblant d'une rage mal contenue.

– Je ne t'aime pas, répétait-elle.

– Calme-toi... calme-toi... lui disait son mari et, s'asseyant sur le lit, il lui tendit les bras.

– Non, mais ça va pas ? fit-elle en reculant d'un pas comme si elle avait affaire à un fou.

Pendant quelques minutes, il y eut un silence entre eux. Un silence pesant. La jeune fille restait debout, immobile, sur ses gardes. Lui était assis, la tête entre ses mains, las de lutter. Soudain, il se redressa en un ultime sursaut, et d'un pas précipité se dirigea vers sa femme.

– Jalila, dit-il solennellement, maintenant il faut passer aux choses sérieuses...

Ce ton décidé la surprit et lui fit peur.

– N'approche pas ! cria-t-elle.

– Voyons, cette comédie a assez duré.

Il avait prononcé ces mots posément, calmement, et s'avançait comme un oiseau de proie.

– N'approche pas... ou je...

Elle se saisit alors d'une bouteille qu'elle cassa contre le mur d'un geste rageur. Un tesson à la main, elle sembla hésiter, le tendit vers son mari puis le plaça sous sa propre gorge...

– N'approche pas ! Ou je me tue !

– Voyons, voyons, Jalila, ce n'est pas raisonnable...

Terrorisée par celui qui s'avançait vers elle, Jalila ne lui laissa pas le temps de la toucher. D'un mouvement brusque, désespéré, elle se trancha la gorge, largement, d'une oreille à l'autre. Le sang fit d'abord une longue raie rouge, fine, à peine perceptible, puis coula en larges striures... elle s'évanouit.

Le médecin appelé d'urgence parvint *in extremis* à sauver la jeune fille. Et c'est ainsi qu'elle retourna dans la maison de son père, pour le plus grand malheur de tous.

Elle porte désormais sans la cacher, comme un collier, la large cicatrice qui boursoufle son cou. Cette marque lui rappelle à chaque instant le prix qu'il a fallu payer pour refuser un destin imposé par sa famille.

Quand Jalila m'a raconté son histoire, elle m'a montré fièrement les stigmates de sa passion, comme pour me signifier que je n'étais pas la seule à avoir souffert. Je comprenais bien sûr que sa blessure ressemblait à la mienne, mais ne sus comment lui exprimer mon émotion. Alors malgré moi, je me mis à rire, à rire... si nerveusement que les larmes coulèrent en même temps dans un mélange de colère et d'amertume face aux diverses folies que nous avions subies toutes les deux. Puis, dans les bras l'une de l'autre, nous nous sommes effondrées dans un rire dramatiquement triste.

Aujourd'hui Jalila a épousé un homme qu'elle aime et dont elle a une petite fille qu'elle a appelée Houria. Ce qui veut dire Victoire.

Victoire durement gagnée, où beaucoup sont tombées au champ d'amour, où beaucoup n'ont fait qu'entretenir des illusions. C'est ce que je pensais en écoutant Malika, une fille d'un village proche du mien. Comme toutes les autres, elle avait été élevée dans l'idée du dévouement dû à ses parents, à ses frères, à ses aînés et dans le respect de la tradition. Ses frères et sœurs plus âgés qu'elle étaient partis fonder un foyer en France... La France ! Malika en rêvait depuis longtemps... Le pays des merveilles, de la vie facile, le pays de la fortune, pensait-elle. Elle avait de la France une image idéalisée et totalement romanesque. Or, ces fantasmes, elle les tenait des émigrés eux-mêmes ! Comment dès lors ne pas y croire ?

Lorsqu'ils revenaient au village, l'été, ceux qui travaillaient en France se plaisaient en effet à raconter mille histoires extravagantes et merveilleuses, le temps d'oublier un peu leur misère. Ils rapportaient des valises pleines de ces belles étoffes dont les femmes raffolaient : des satins, des cotons fleuris, des lamés, des broderies. Et tous les ans, la mode changeait ! Au village, on attendait avec impatience les nouvelles collections, les femmes revenues de l'autre côté de la Méditerranée étalaient alors ostensiblement, sous les regards médusés de celles restées au bled, les trésors rapportés d'un pays de cocagne. Par fierté, les voyageuses se gardaient bien de révéler la vérité sur leur vie en France. A les entendre, tout était rose là-bas ! Bijoux, coiffeurs, grande cuisine, tout était à portée de main. A preuve ces magazines féminins qu'elles exhibaient pour rendre définitivement jalouses les femmes du village.

Malika conservait quelques-uns de ces périodiques. Quand la saison des émigrés était passée, elle ressortait ces journaux, les feuilletait longuement, et le luxe affiché sur papier glacé faisait divaguer son imagination : la vaisselle éclatante, les fauteuils somptueux, les lits de reine, les femmes aux cheveux de soie, les corps brillants, les colliers étincelants...

Lorsque je rencontrai Malika pour la première fois, elle ne cessa de me répéter combien j'avais de la chance de vivre dans cet univers doré. Elle me prit par la main, m'entraîna dans sa chambre et, de ses coffres qui sentaient la girofle, elle sortit fièrement ses gandouras de couleur confectionnées au fil des années avec l'argent que lui envoyaient de France ses frères et sœurs. Elle me fit ensuite admirer les draps et les couvertures qu'elle avait brodés de caractères tifinagh, l'ancien alphabet berbère. Car si Malika rêvait à la France, elle aimait son pays, sa langue, les oliviers de ses ancêtres, les figuiers qu'elle allait débroussailler pour respirer l'odeur âcre des feuilles chauffées par le soleil.

Malika était heureuse entre sa jeune sœur, sa mère et son père. Certes, celui-ci avait été naguère un homme terriblement autoritaire qui n'hésitait pas à corriger épouse et filles pour montrer à tout le voisinage que, chez lui, les femmes étaient bien dressées. Tous d'ailleurs l'appelaient, avec respect, le caïd ! Les filles des alentours le craignaient ; quand elles le croisaient sur le chemin, elles baissaient les yeux et accéléraient le pas, mais lorsqu'il avait tourné le dos, elles tiraient la langue ou ricanaient... Il n'était pas dupe de ce manège et savait bien que ces chipies ne l'aimaient pas.

– Toutes des chèvres ! répétait-il en bougonnant.

Avec le temps, le père avait vieilli et son autorité s'était un peu effritée. Mais il l'exerçait encore sur Malika. Tout au long du jour, la jeune fille s'en allait garder les chèvres de la famille. Oh, elle ne se révoltait pas contre son sort, appréciant ce travail qui lui permettait d'être tranquille. Elle revenait le soir, portant sur la tête des fagots de branches de frêne dont elle garnissait les mangeoires des bêtes. Puis elle se livrait jusqu'à la nuit tombée aux tâches domestiques. Elle organisait tout car ses parents, trop âgés maintenant, n'avaient plus la force de tenir la maison.

Sa jeune sœur avait déjà un prétendant, alors qu'elle-même, sans doute moins jolie, n'avait toujours pas été demandée, malgré son énergie et son courage. Or l'usage interdit de marier une jeune fille si son aînée n'a encore pu trouver un mari. La mère insista donc auprès de la future belle-mère pour qu'elle choisisse Malika en priorité.

– Je le souhaiterais aussi, répondit la mère du garçon, car elle est plus travailleuse... Hélas ! mon fils préfère la plus jeune en raison de sa beauté... Mais je n'ai pas dit mon dernier mot...

Et, de fait, cette maîtresse femme qui faisait régner l'ordre chez elle parvint à convaincre son fils d'épouser Malika. Il oublia son penchant pour la sœur cadette. Après avoir mené joyeuse vie à Paris, le garçon était prêt à se caser et abandonnait à sa mère le soin de lui trouver l'épouse idéale. Il lui avait écrit de Paris pour lui demander de lui trouver une compagne selon les vœux de sa famille : « Les Françaises, écrivait-il, j'en ai soupé. Impossible d'avoir une relation durable avec elles, elles ne nous aiment pas, elles profitent de nous et, en plus, elles ne sont pas sérieuses et jamais fidèles ! »

Il s'était donc résolu à prendre une fille du village, élevée à la dure, bonne épouse, bonne mère, bonne travailleuse, et vierge, bien sûr. Malika et lui ne se connaissaient pas, ils ne s'étaient même jamais rencontrés, mais les familles s'entendaient bien et cela suffisait. Le reste suivrait. Tout se déroulait ainsi depuis des générations, et cela était bien.

Malika était heureuse. Elle voulait tant se marier, fonder un foyer... Quand elle apprit que son fiancé habitait la France, elle fut comblée ! On lui dit qu'il était ouvrier chez Renault et cela l'emplit de fierté. Chez Renault... elle l'imaginait arpentant des hangars immenses et impeccablement propres dans une blouse immaculée, elle le voyait comme un médecin opérant les dernières mises au point sur des voitures rutilantes... La graisse, les mains noires, le travail à la chaîne, le bleu de travail défraîchi n'avaient aucune existence pour elle. Malika, une fois encore, se laissait conduire par son imagination au pays des chimères. Elle se voyait princesse dans un palais doré, et l'avenir se dessinait sous la forme d'une maison luxueuse dans laquelle courraient ses enfants...

L'été arriva enfin avec son contingent d'émigrés revenus au pays. Et parmi eux, le fiancé de Malika. Chaque détail avait été arrangé par correspondance, même le jour des noces avait été fixé en fonction des congés payés du jeune homme. Il ne restait plus qu'à faire la fête. Tout se passa comme Malika l'avait espéré. Elle reçut de nombreux cadeaux et son mari lui offrit une belle montre, une montre venue de France...

Pendant un mois, elle fut la mariée la plus heureuse du monde. Hélas ! le temps de partir arriva. Malika ne put suivre son époux, il fallait attendre que les papiers soient prêts, et puis les parents de son mari construisaient une maison, il fallait envoyer de l'argent au bled...

– Je ferai vite..., avait promis le jeune homme.

Les mois passèrent, les lettres se firent plus rares. Malika était devenue la servante de sa belle-mère, elle aidait les maçons lorsqu'il fallait aller chercher de l'eau pour le ciment. Est-ce la tristesse ou le travail trop intense qui déformait la jeune fille ? Son dos se courbait, ses épaules usées à la tâche s'arrondissaient... Néanmoins, elle poursuivait sa besogne avec courage, persuadée que le destin saurait bientôt la récompenser. Mais le travail abattu par la bru ne suffisait pas à la belle-mère, elle en voulait davantage ! Insultes, vexations, humiliations étaient le lot quotidien de Malika. Elle comprit que sa belle-mère n'avait jamais recherché une femme pour son fils mais une servante à bon marché. Lorsque la maison fut terminée, la jeune fille devint encombrante et inutile. Elle fut répudiée comme elle avait été épousée : par correspondance.

Malika s'en est retournée vivre tristement chez ses parents. Depuis, sa jeune sœur s'est mariée, elle a eu une petite fille que Malika gâte autant qu'elle peut. A quarante ans, Malika sait qu'elle ne trouvera plus le bon parti auquel elle aspirait jadis. Son statut de femme répudiée fait d'elle la proie des veufs sur le retour, des divorcés en charge d'enfants, elle est « en reste », comme l'on dit au village. La vie s'est chargée de lui faire perdre ses belles illusions, ses robes demeurent dans les coffres, imprégnées de l'odeur de girofle, elles ne seront jamais portées. Tous les beaux éclats de son rêve de jeunesse se sont éteints. Adieu la France qu'elle ne connaîtra jamais...

Malika croyait que son malheur venait de ne pas avoir connu la France. Et pourtant, même en France, les traditions les plus anachroniques sont respectées, et le fait de vivre dans une quelconque banlieue n'y change rien. Seule la pression de la société environnante se fait parfois assez forte pour obliger à trouver quelques arrangements avec les vieilles coutumes. Mais pour cela il faut du temps, et des souffrances.

A l'âge de dix ans, Nora a quitté la Kabylie avec toute sa famille pour venir s'établir près de Paris. Elle a vu sa sœur aînée se marier à dix-huit ans de la manière traditionnelle, c'est-à-dire qu'elle n'a pas eu l'occasion de participer au choix de son époux et qu'elle a dû se soumettre entièrement au jugement paternel. Résignée sans être malheureuse, sa sœur subissait désormais son mari, satisfaite tout de même d'avoir eu la chance de tomber sur un homme qui ne la battait pas, qui ne la méprisait pas. Elle avait vu tant de ses amies supporter les brutalités d'un conjoint pour qui la violence était la seule loi du mâle ! Pour elle, le bonheur était tout simple, il lui suffisait de fonder une famille et de préparer de bons petits plats. Elle se trouvait comblée lorsque l'on vantait ses artichauts farcis, ses tripes à l'algéroise ou sa *pastilla* aux pigeons. Son seul regret était que son appartement fût un peu exigu, mais elle passait des heures à l'arranger, à le briquer, à coudre des coussins qu'elle posait délicatement sur le canapé similicuir. Lorsqu'elle s'en allait faire des courses il lui fallait être rentrée à seize heures, car elle devait être là pour accueillir les enfants après l'école et, surtout, préparer le sacro-saint repas du soir. Elle avait eu le bonheur de s'unir à un homme courageux : il travaillait dans la mécanique automobile et passait chaque jour de longues heures dans les transports pour retrouver sa banlieue. Quand il arrivait chez lui, éreinté par une journée de labeur et par les interminables déplacements, il s'affalait dans le fauteuil face à la télévision. Il regardait les films avec ses enfants et s'indignait régulièrement des scènes trop osées : il posait son journal sur l'écran pour censurer les séquences jugées choquantes. Cet homme généralement doux piquait parfois de sombres colères quand il s'en prenait à la télévision. Un jour où les informations l'avaient particulièrement irrité, il urina carrément sur le poste ! Une autre fois, il flanqua dans l'appareil un coup de pied qui le mit hors d'usage... Mais il se faisait vite pardonner en emmenant femme et enfants dans les boutiques pour les couvrir de babioles. Deux ou trois fois, il les invita même au restaurant, dans une pizzeria, et sa femme s'en vanta longtemps auprès de ses amies qui n'avaient jamais eu cette chance. A sa manière, la jeune femme était heureuse.

Et pourtant, Nora n'enviait guère son aînée. Elle rêvait d'une autre vie. Dans sa tête tournaient des idées fantasques : elle songeait à devenir comédienne, elle aspirait à épouser un homme avec qui elle construirait un foyer fondé sur le respect réciproque et l'égalité.

Bien décidée à entrer dans la vie par la grande porte, elle suivait des études de droit et prenait, en cachette, des cours d'art dramatique. Ses parents, sa famille, ignoraient tout de sa vocation secrète et cela valait sans doute mieux. Auraient-ils compris ce désir de s'exhiber sur les planches ?

Entre une scène de Molière et un monologue de Rostand, Nora rencontra Thierry, un apprenti comédien avec qui elle put partager ses espoirs. Ils tombèrent amoureux l'un de l'autre, mais il n'était pas question pour la jeune fille d'avoir des relations sexuelles avant le mariage. Le jeune homme comprit et, après quelques mois, s'en alla demander la main de Nora à sa famille réunie pour la circonstance. Hélas ! le père fut catégorique : jamais sa fille n'épouserait un non-musulman ! Comme Nora pleurait et insistait, il menaça de la tuer et lui interdit, désormais, toute sortie. La jeune fille fut séquestrée dans l'appartement de sa lointaine banlieue. Le droit, le théâtre, tout lui était maintenant inaccessible. Même la sœur aînée se ralliait à la sage décision paternelle :

– Tu oses nous faire ça, lança-t-elle un jour, alors que nos parents t'ont permis de sortir et de faire des études ! Moi, je n'ai pas eu ta chance et pourtant je me suis toujours bien conduite... Tu nous déshonores ! Si j'étais papa, je te ramènerais en Algérie pour te montrer comment vivent les jeunes filles de ton âge... Tu mériterais qu'il te marie de force ! Tu devrais avoir honte !

Nora, désespérée, décida de fuir cet enfer. Elle savait qu'elle s'exposait à la peine de mort prononcée par le clan, mais le danger, la peur, lui paraissaient préférables à la séquestration.

Nora quitta donc sa famille et épousa Thierry. Elle vécut loin des siens, terrorisée à l'idée que son père puisse la retrouver un jour. Durant de longues années, elle n'eut plus aucun lien avec sa famille, obtenant juste quelques nouvelles, de loin en loin, par une cousine. Isolée, Nora restait cependant fidèle à sa Kabylie, elle étudiait la langue berbère, aimait la poésie de sa terre d'origine, la chanson, la musique... Elle s'accrochait à cette culture comme un arbre déraciné.

Un jour, elle apprit la mort de sa mère et fut effondrée de n'avoir même pas pu assister à l'enterrement. Elle aurait tant voulu revoir son père et ses sœurs, mais la peur la paralysait, elle savait qu'on ne lui pardonnerait pas d'avoir failli à l'honneur du groupe.

Plus tard, sa cousine lui annonça le mariage de sa jeune sœur : celle-ci avait épousé un Français, comme elle ! Nora fut abasourdie : non seulement son père avait consenti à cette union mais il avait lui-même organisé la fête et fait venir la grand-mère du bled. Quel changement ! Durant des nuits, Nora tenta de comprendre les événements. Sans cesse, comme un film, le passé se déroulait...

Finalement, elle osa l'impossible. Elle trouva le numéro de téléphone de sa sœur et l'appela :

– Je suis Nora...

Ces simples mots renouèrent une relation familiale brisée depuis treize ans. D'abord intimidées, les deux femmes se turent, puis parlèrent intensément, comme pour rattraper les années perdues. Une rencontre fut décidée. Nora irait en province rendre visite à sa jeune sœur.

Elle arriva un samedi à l'heure du déjeuner. Un silence mêlé d'incertitude s'installa quelques instants entre les deux sœurs trop longtemps séparées. Elles restaient là, muettes, à se regarder sur le pas de la porte... et puis elles tombèrent dans les bras l'une de l'autre. La petite fille que Nora avait quittée treize ans auparavant était devenue une belle jeune femme de vingt-cinq ans et, pendant que le mari servait le repas, la sœur de Nora raconta :

– Tu sais, quand tu es partie de la maison, je t'ai approuvée ! Mais j'étais encore si jeune... Je t'en ai voulu aussi, par la suite, car nous avons vécu un véritable cauchemar avec notre père. La colère qu'il nourrissait contre toi s'est répercutée sur moi et je suis devenue son souffre-douleur. Quant à notre mère – paix à son âme – elle prenait le parti du père, invariablement.

» A la mort de maman, je me suis retrouvée seule avec un homme complètement perturbé. Son attitude a brusquement changé. Il cherchait le dialogue et me répétait : "Je regrette ce que j'ai fait avec Nora et je ne referai pas la même chose avec toi." Il m'embrassait et pleurait comme une femme, ruminait ses remords : "Je n'ai rien compris, disait-il, la vie est courte et je n'ai fait attention qu'au regard des gens. Qu'est-ce que tu veux, nous autres, on est comme ça ! On ne veut pas changer ! Même ta pauvre mère, a-t-elle été heureuse un seul jour ? Je regrette..."

» Il m'a alors laissée totalement libre. Jamais il ne m'a demandé des comptes sur mes allées et venues, sur ma vie, sur mes fréquentations. Parfois, je ne rentrais pas de la nuit, je le prévenais de ne pas m'attendre et il se contentait de murmurer : "Sois prudente." Il m'a offert ma première voiture et, quand je lui ai annoncé mon intention d'épouser Jacques, il a très bien pris les choses et nous voici mariés ! Il faudrait que tu le revoies, il serait très heureux, j'en suis certaine... »

Nora était stupéfiée. Etait-ce bien son père qui avait agi ainsi ? Etait-ce bien sa sœur qui balayait en quelques mots treize années de solitude, de repli, de terreur ? Nora voulut dire sa souffrance et ses tourments... Mais elle se tut. Comment sa jeune sœur épanouie aurait-elle compris ce qu'elle avait vécu ?

Malgré les réticences de Nora, une rencontre avec le père fut organisée. Celui-ci invita sa fille et son mari dans un grand restaurant pour fêter les retrouvailles, et l'on festoya comme si rien ne s'était passé, comme si les treize années d'absence n'avaient jamais existé.

... Et Nora songea qu'elle s'était écorchée aux épines et aux ronces de la tradition pour que d'autres jeunes filles, demain, trouvent le bonheur en épousant librement l'élu de leur cœur.

Elles sont nombreuses, ces jeunes femmes, à s'être volontairement éloignées de toutes les contraintes et à mener en France la vie qu'elles se sont choisie. D'autres ont accepté des compromis avec leurs parents, d'autres encore ont négocié leur liberté en louvoyant ou sont arrivées à leurs fins à force de ténacité. Chaque itinéraire cache ses drames et ses déchirements. Même lorsque le parcours est aussi particulier que celui de Fatiha, qui aura bientôt trente-neuf ans. Depuis sept ans, c'est Yves qui la coiffe, du côté « Messieurs ». Ce jour-là, elle se faisait couper les cheveux très court, comme un garçon. Comme il n'y avait plus de place du côté des dames, je suis venue m'asseoir à côté d'elle. Elle bavardait tranquillement avec le coiffeur, de mon côté j'écoutais ma coiffeuse qui me conseillait un carré frisé... C'est à ce moment que la jeune femme tourna la tête et me reconnut :

– Vous êtes chanteuse... Vous êtes Djura...

Je lui souris et elle continua :

– Oui, je vous ai vue à la télévision. J'ai même été voir votre spectacle à l'Olympia. Vous êtes kabyle ? Je vous connais bien, vous savez, on vous entend souvent à la radio marocaine... Moi, je suis marocaine.

Tandis qu'elle me parlait, j'observais sa silhouette masculine. Elle portait un jean, des baskets, un blouson de cuir, et sa nuque était rasée. Il fallait vraiment s'approcher pour s'apercevoir qu'elle était une femme. Apparemment, elle accentuait à plaisir son côté masculin. Pas un brin de maquillage sur le visage, pas une bague, pas un bracelet, juste une montre d'homme au poignet.

Sa coupe terminée, elle se leva, s'habilla, mais elle tardait à sortir. Je compris qu'elle m'attendait. En effet, mon carré frisé achevé, nous nous sommes retrouvées toutes deux à bavarder dans la rue. Elle m'invita à venir prendre un café au bistrot du coin. Confortablement attablée, Fatiha répondit à mes questions, me raconta un peu sa vie. Elle exerçait la fonction de cuisinière-gouvernante auprès d'un vieillard solitaire, elle était satisfaite de son existence, et son sens aigu de l'indépendance trouvait un certain plaisir à régenter la maison de son patron. Je lui demandai tout de même comment, dans ces conditions, elle pouvait s'organiser une vie privée...

– Oh, moi, c'est compliqué ! se contenta-t-elle de dire avec un mouvement de la main qui voulait chasser la question.

– Vous êtes célibataire endurcie ? me risquai-je.

Mais elle ne répondit rien. Alors, à tout hasard, je glissai :

– Les hommes chez nous sont durs, n'est-ce pas ?

– Les Algériens plus que les Tunisiens et les Marocains, annonça-t-elle avec la sécheresse d'un sondage.

– Je suis mariée avec un Français..., avançai-je encore, sur le ton de la confidence.

– Moi, je ne suis pas mariée, ça ne m'intéresse pas, lança-t-elle avec une fausse désinvolture.

– Pourquoi ?

– C'est compliqué...

En fait, elle hésitait visiblement à me confier son secret. Elle n'osait pas se lancer et pourtant continuait à me dévoiler par bribes sa vérité.

– Vous, vous pouvez peut-être comprendre. Ici, on peut me comprendre, mais là-bas c'est impossible...

Je me taisais, maintenant. J'attendais simplement qu'elle veuille bien se livrer. Tout à coup, elle se libéra dans un flot de paroles. Elle me dit comment elle avait perdu son père très jeune, comment elle avait vécu au Maroc, seule auprès de sa mère. Celle-ci venait de mourir et Fatiha pleurait encore son unique famille...

– Il n'y avait pas au monde une personne plus sensible et pieuse que ma mère. C'était une femme exceptionnelle, c'était un morceau de sucre...

– Mais ça ne me dit pas pourquoi vous ne voulez pas vous marier ? Vous voulez peut-être vivre maritalement ? dis-je sans trop y croire, histoire de faire un peu évoluer la conversation qui semblait tourner en rond.

– Non, non, ce n'est pas ça ! J'ai un problème, je ne pourrai jamais me marier...

Cette fois, j'étais vraiment intriguée. Bien sûr, j'aurais pu jouer les discrètes et stopper là notre entretien, mais je ne sais quelle intuition me soufflait que cette femme voulait me dire quelque chose qu'elle ne parvenait pas à prononcer. Je tentai de l'aider :

– Vous savez, Fatiha, j'ai moi-même une vie assez compliquée. Je pense que je peux vraiment vous entendre.

En disant cela, je ne savais pas ce qui allait suivre. Souvent, dans le regard des femmes, je parviens à lire le désarroi, les yeux parlent quand les mots n'arrivent pas à trouver le chemin de la bouche. Mais cette fois-ci, je ne devinais rien, je me demandais bien ce qui pouvait l'empêcher de fréquenter un homme. Personne n'exerçait sur elle la moindre autorité, elle était largement en âge de mener sa vie... J'attendais. Enfin, avec calme, en me regardant droit dans les yeux, elle parla :

– Je vais vous dire, Djura, je suis homosexuelle !

Elle croyait avoir lâché une bombe. Elle n'en revenait pas de me voir répondre sereinement :

– Ah, oui, maintenant je comprends...

– Les hommes ne m'ont jamais intéressée. Même à l'âge de sept ans, je flirtais avec les filles ! Toute ma vie, je n'ai fréquenté que des femmes. Pendant sept ans, j'ai vécu avec une Française. Vous savez, les Françaises, elles sont bien, fidèles, correctes... C'est moi qui n'étais pas sérieuse à l'époque. J'allais à droite, j'allais à gauche, et je l'ai trompée plusieurs fois. Je le regrette, mais c'est la vie. Elle a fini par me quitter. Maintenant, je suis avec une Marocaine. Le problème, c'est qu'elle vit au Maroc et moi ici. J'en souffre beaucoup. Je puis vous dire que je l'aime vraiment, et il m'est difficile de vivre loin d'elle. Pour elle, c'est pareil. On se téléphone, on s'écrit. Je n'ai qu'une envie, c'est de la retrouver. Elle était là il y a deux jours, si l'on s'était rencontrées à ce moment-là, j'aurais pu vous la présenter. Ils la connaissent, chez le coiffeur... Ici, c'est bien. Les gens comprennent ces choses-là, tandis que chez nous ! Il faut vivre en cachette.

La réalité exprimée par Nora et Fatiha ne saurait cacher le fait que certaines jeunes filles s'épanouissent néanmoins le plus naturellement du monde. A cet égard, l'image de la fille de mon amie Djamila s'impose à mon esprit. Djamila a su se construire une existence équilibrée sans se renier, sans copier servilement un modèle occidental, et elle a transmis à ses enfants ses tranquilles assurances comme sa paix intérieure. D'origine algérienne, Djamila a épousé un Tunisien et a suivi son époux à Carthage. C'est là que je l'ai rencontrée pour la première fois, il y a plusieurs années, quand j'ai chanté dans le superbe théâtre antique de la ville.

Ce soir-là, les douze mille spectateurs faisaient à *Djurdjura* une splendide ovation, les jeunes gens avaient retiré leurs chemises et les agitaient comme des drapeaux en criant : *« Tahya, Djurdjura, tahya... »* (Vive *Djurdjura.*) A la fin du récital, devant la foule qui voulait entrer dans les loges, les portes furent interdites, et pourtant Djamila, par je ne sais quel stratagème, parvint à se frayer un passage. Nous avons discuté, nous sommes devenues amies. Elle m'a offert une paire de boucles d'oreilles en forme de main de Fatma, signe de chance, que je porte depuis à chaque spectacle, comme un fétiche.

La famille de Djamila, sa fille, son mari, leur vie facile dans leur villa de Carthage, sont fascinants. Ils paraissent vivre hors du temps, hors des contingences de la réalité, dans un univers ouaté qu'ils se sont constitué.

Cultivé, raffiné, père attentif, issu d'une vieille noblesse carthaginoise faite de savoir plus que de paraître, le mari de Djamila passe pour un Occidental, alors qu'il ne s'est rendu en France qu'une seule fois à l'occasion d'une visite chez des amis ! Djamila, femme active, pharmacienne, se veut résolument moderne, sans rien renier d'ailleurs de sa culture. Dans l'éducation qu'elle a donnée à ses enfants, elle s'est évertuée à leur transmettre les coutumes positives, le respect des anciens, la croyance en Dieu.

– Nous sommes des Carthaginois de souche, me disait

sa fille Yamina. Et nous sommes fiers de notre patrimoine culturel !

La maman regardait, attendrie, sa fille de seize ans me tenir ces propos avec la fougue d'un discours politique. Pendant que nous discutions, Djamila me proposa une cigarette :

– Chez nous, en Tunisie, dans nos familles, les jeunes filles ont toujours fumé. C'est même plutôt bien vu ! Rien ne nous l'interdit dans le Coran. Regarde tante Louise, elle aussi a toujours fumé...

Elle porta son regard sur l'ancêtre de la maison qui avait presque cent ans et que tout le monde saluait respectueusement en passant près d'elle. Tante Louise avait peut-être passé sa vie à tirer sur la cigarette, mais elle gardait aussi constamment son chapelet à la main et, toute la journée, elle récitait ses prières en bonne musulmane qu'elle était.

– Chacun lit le Coran à sa façon, on nous a toujours appris que Dieu était bon... me dit Djamila. Dieu est là pour nous sauver, pour nous comprendre, pour nous aider aussi à surmonter nos souffrances ici-bas. Il n'est pas là pour nous accabler et nous priver du bien-être qui est à notre portée.

– Nous, on a lu : "Ne frappe jamais ta femme, même avec une fleur", renchérit le mari.

– Mes enfants ont été élevés dans l'amour et le respect de Dieu, précisa Djamila. Mais ce sont des êtres humains libres. Seul Dieu a le droit de nous juger, si on fait le bien sur cette Terre, on le retrouvera là-haut. C'est ainsi que je comprends la religion.

Djamila vivait ainsi en harmonie avec Dieu et les siens. Tous ses enfants ont fait de brillantes études et l'un d'eux reprendra peut-être un jour les pharmacies familiales. Yamina, elle, exprima un jour le désir de poursuivre sa médecine en France. Cela ne posa aucun problème et la jeune fille s'envola pour une ville du Nord où elle avait pu s'inscrire à la faculté. Elle vit maintenant en France depuis plusieurs années. Ses parents subviennent à ses besoins et elle n'a eu aucun mal à s'adapter à son nouvel environnement. Les seules difficultés qu'elle peut rencontrer sont celles qui l'affrontent aux étudiants maghrébins : ils ne comprennent pas sa façon de vivre et son autonomie. Cette jeune fille libre et indépendante les déstabilise, elle correspond si peu à leur image de la femme tunisienne... C'est dommage, elle est si bien dans sa peau !

Elle le dit avec une franchise réconfortante :

– Je dois tout cela à papa et maman. Maman est une véritable amie pour moi, je lui confie tout, elle est au courant de tous mes faits et gestes, et de mes fréquentations aussi. En ce moment, j'ai un petit ami français. Elle me dit simplement de ne pas me presser, que je suis encore jeune, qu'il faut attendre d'être sûre de soi. Je n'ai jamais connu avec ma mère ni avec mon père l'autorité maladive des parents maghrébins à l'égard de leurs filles ; ils ne m'ont jamais rien imposé, j'ai choisi moi-même les études que je voulais faire et mon départ pour la France. Beaucoup d'amies maghrébines m'envient...

Certes, Yamina est encore une exception. L'indépendance que lui accorde sa famille tranche singulièrement avec le sort généralement réservé aux filles d'Afrique du Nord. Et pourtant son destin m'apaise et me réconforte, il démontre que toutes les mutations sont possibles et que l'avenir n'est pas irrémédiablement bouché. Cette aube que je souhaite si ardemment luit déjà pour quelques-unes.

IV

SOUS LE VOILE... L'ALGÉRIE

La France est l'esprit de mon âme.
L'Algérie, l'âme de mon esprit.

Jean Amrouche

Alors que je m'épuisais en une suite de procès douloureux et que la peur continuait de me paralyser, l'Algérie, faisant écho à mes drames, avait accouché d'un monstre : le Front islamique du salut. Tous les médias étaient braqués sur ce visage de l'horreur, de la violence, de la haine. Le FIS venait de triompher aux élections et, dans sa gloire toute neuve, se révélait plus intolérant encore, plus totalitaire, éructant la démocratie que l'on avait crue naissante.

Ce pays allait-il définitivement tourner le dos aux valeurs démocratiques ? Les femmes perdraient-elles les quelques droits difficilement arrachés au cours des dernières décennies ? Oubliant que la seconde sourate du Coran nous apprend qu'en religion il n'est nulle contrainte, les militants du FIS s'attaquaient maintenant à toutes celles qu'ils estimaient trop dévêtues, n'hésitant pas à goudronner les jambes des jeunes filles en tenue jugée scandaleusement légère. Dans le sud du pays, à

Ouargla, ils mettaient le feu à la maison d'une opposante ; un bébé périssait dans cet incendie allumé par les fanatiques. Ailleurs, un jeune homme brûlait vive sa jeune sœur parce qu'elle refusait de renoncer à son travail d'infirmière. Les exaltés qui faisaient rougeoyer dans le ciel algérien les flammes de leur foi avaient au cœur la certitude de plaire à Dieu et de gagner leur place au paradis.

Dans un combat déterminé et rétrograde, les militants du FIS partaient en guerre contre des mœurs qui leur semblaient dépravées, telles que la mixité dans les écoles ou la promiscuité sur les plages, ils levaient l'étendard de la révolte contre le maillot de bain pour les femmes, réclamaient des pantalons longs pour les footballeurs et se préparaient à aménager un apartheid séparant les hommes des femmes jusque dans les autobus ! L'ordre du monde lui-même paraissait menacé par le maquillage des jeunes filles... Pour instaurer leur vérité, ils promettaient d'éduquer ces jeunes filles selon leur conception des lois islamiques. Hors de chez elle, chaque femme active se sentait physiquement menacée. En affirmant sa coquetterie, le miroir lui renvoyait l'ombre inquiétante du FIS. La peur prenait toutes les formes, alimentée par les agressions du Front islamique. La méfiance gagnait tous les esprits. Etre belle, sensuelle, trop court vêtue, c'était s'exposer aux balafres, au goudron, au vitriol.

On assista dans les rues d'Alger à un déferlement de barbus et de femmes voilées. Les mosquées s'avéraient trop petites pour contenir ce raz de marée humain. Venus de toutes les ruelles alentour, les fidèles se pressaient, hommes d'un côté, femmes de l'autre, soigneusement séparés par des bâches tendues entre eux. Extatiques, ils écoutaient les haut-parleurs déverser sur la ville les voix des grands chefs charismatiques du mouvement, comme Ali Belhadj et Abassi Madani. Leurs discours étaient d'une telle hargne, d'une telle agressivité – aussi bien à l'encontre du pouvoir en place que de l'Occident et du modernisme – que le FIS fut rapidement surnommé « le fascisme vert ». Les militants islamistes menaçaient de brûler la Constitution, d'écraser la démocratie coupable de porter le vent de l'Occident. Et gare aux récalcitrants !

Mais les harangues étaient efficaces et entendues par ceux qui avaient faim. Même si les malheureux ne partageaient pas toujours l'idéologie du FIS, ils se sentaient défendus par ces nouveaux politiciens, et cela seul importait. Chaque prêche du vendredi était un appel au meurtre, les fidèles étaient électrisés par les nouveaux prophètes et laissaient éclater leur colère.

Chaque vendredi était plus enflammé que le précédent, et chaque vendredi faisait craindre le pire. L'escalade de la violence se lisait sur les visages de ces intégristes dégoûtés par le régime mensonger et corrompu qui avait régné durant trente ans sur le pays. Face au néant de la classe politique, ils étaient décidés à tout saccager. Des bandes disposées à tous les excès se formaient, et leurs chefs eux-mêmes avaient bien du mal à les maîtriser.

La victoire électorale du FIS était-elle conjoncturelle ? Elle a bénéficié autant des voix de ceux qui, pour refuser le FLN, votèrent sans grande conviction pour les islamistes que de ceux qui avaient tout perdu, même leur dignité humaine. Le FIS se trouva ainsi propulsé sur le devant de la scène politique, et l'on n'en mesura pas toujours les réels dangers.

Qui a fait le lit de l'intégrisme ? N'est-ce pas le FLN en optant dès 1962 pour l'islam comme religion d'Etat ? Aucun des trois présidents en poste – Ben Bella, Boumediene et Chadli – ne s'est démarqué de cette orientation. Aucun ne s'est privé d'utiliser la religion comme somnifère du peuple. La télévision et la radio, courroies du pouvoir, n'ont cessé d'arroser les programmes de versets du Coran du matin au soir. Ce qui n'empêchait aucunement certains membres du gouvernement d'être entourés d'alcooliques notoires et d'obsédés sexuels qui osaient donner des leçons sur l'éducation des jeunes filles !

En se reportant sur le Front islamique du salut, la majorité des électeurs avait exprimé un vote sanction contre le Front de libération nationale. Longtemps parti unique, le FLN continuait à l'époque à dominer le paysage politique, malgré l'émergence d'une opposition dès 1988. En juin 1990 éclatèrent donc dans les urnes le dépit et le désespoir. Depuis trente ans, l'Algérie était la propriété d'un petit groupe qui avait confisqué le pouvoir au lendemain de l'Indépendance. Rien n'avait changé depuis le temps de Ben Bella, on avait toujours retrouvé les mêmes hommes dans les hautes sphères, interchangeables et s'éliminant les uns les autres au gré de luttes intestines. Une ligne politique floue, un socialisme « à l'algérienne » s'étaient imposés sans que le peuple puisse intervenir. La seule arme de ce peuple restait le rire : l'humour algérien se fit les dents sur les hésitations et les tergiversations des dirigeants.

Rien n'échappait à cette vision acerbe de la rue qui s'imposait en véritable gazette, fouillant au bistouri la vie politique. Voici, par exemple, comment on raconte la visite en Algérie de l'un des derniers maîtres du Kremlin en réactualisant une vieille histoire : la voiture présidentielle vient le chercher à l'aéroport pour le conduire au centre d'Alger. Arrivé à un carrefour, la limousine marque une halte : faut-il prendre la route du littoral, ou celle de l'intérieur ? Le président demande à son hôte de choisir entre la voie de droite et celle de gauche. Le Soviétique n'hésite pas et opte, bien sûr, pour la gauche. Le chef d'Etat algérien se penche alors vers le chauffeur : « Mets le clignotant à gauche, mais va à droite ! »

Ces hésitations ont fait du FLN son propre fossoyeur. Le bon sens populaire ne se laisse pas abuser : le FIS est le fils du FLN, répète-t-il. En effet, le parti au pouvoir a construit et laissé construire anarchiquement « ces fusées qui ne décollent pas », comme disait l'écrivain Kateb Yacine en parlant des mosquées. Le pays se gangrena alors sous la pression de cette pieuvre aux tentacules dévorants. Renforcé par les pauvres qui cherchaient à fuir leur misère, le FIS s'enfla et s'amplifia.

Parallèlement, on l'ignore trop souvent, l'idée démocratique gagnait du terrain et des partis se créaient. Malheureusement, tenus volontairement à l'écart du jeu politique, sans force réelle, ils ne parvenaient pas à se faire entendre.

Le FIS a donc profité de la crise, du désarroi du peuple et de la jeunesse en particulier, comme le fait Le Pen en France. Si le vocabulaire change, le fond du discours, simpliste, revanchard, démagogique, est le même.

Au début, le FIS bénéficia d'une puissante organisation, parfaitement structurée, capable de gagner la sympathie des classes défavorisées. Il accomplit des actions spectaculaires comme le ramassage des poubelles quand l'Etat ne le faisait plus, la fourniture d'eau par tuyaux d'arrosage aux endroits où il n'y en avait pas, l'aide alimentaire aux plus miséreux, la visite aux orphelins dans les hôpitaux, et même le don de *hedjab* aux femmes qui n'avaient pas de quoi s'habiller. Comment ne pas croire en ceux qui vous apportent l'espoir à domicile quand on est démuni de tout ?

Mais qui donc se cachait derrière cette organisation ? La presse algérienne a largement diffusé des éléments accréditant l'existence d'une internationale islamique planifiant des stratégies de prise de pouvoir dans les pays musulmans à partir de l'Iran. Ce serait le pays des mollahs, *via* le Soudan – pour ne pas apparaître comme promoteur de cette machination –, qui aurait non seulement constitué la tendance dure du Front islamique du salut, mais aussi fourni l'argent nécessaire au financement de ses actions et de sa campagne électorale. On parle de douze millions de dollars déposés dans une banque soudanaise...

Avec l'ensemble de la communauté immigrée, je suivais passionnément les convulsions de mon pays d'origine. L'intégrisme nous laissait un goût amer et nous inquiétait. Nous vivions au rythme des passions de l'Algérie, nous nous enthousiasmions lorsque la force démocratique semblait monter de la rue, vibrant à ces espoirs si fragiles pourtant.

En janvier 1992, plus de cinq cent mille personnes manifestèrent en faveur de la démocratie et contre le FIS à l'appel du Front des forces socialistes, le mouvement d'Hocine Aït Ahmed. Un tiers des manifestants étaient des femmes, proportion gigantesque dans cette région où les filles n'ont guère l'habitude d'envahir la rue !

Pour moi, tous ces événements faisaient écho au « printemps berbère » de 1980, la première grande manifestation populaire qui osa défier le pouvoir algérien depuis l'Indépendance. Si je me sens profondément berbère, ce n'est pas dans le concept vague et souvent péjoratif d'un « berbérisme » de pacotille, mais en vertu d'un riche et fécond passé historique qui a vu les miens résister à toutes les invasions pour maintenir hautes et fières une culture et une langue parvenues jusqu'à nous malgré les coups de boutoir des hordes dévastatrices. J'affirme ma « berbérité » avec d'autant plus de force que l'Algérie est en grande partie berbérophone, puisqu'un tiers de sa population – les Chaouis, les Auressiens, les Touareg et enfin les

Kabyles, qui représentent le groupe le plus important – sont des Berbères. Nier cette réalité, c'est nier le passé historique de l'Algérie.

Ainsi, le « printemps berbère » de 1980 fut une révolte pour sortir de l'étouffement dans lequel on enfermait cette culture, le cri des *Imaziren* – les « hommes libres » en langue berbère – était un cri pour la liberté. Et cette clameur revendicatrice est partie de la Kabylie ! Le 16 avril de cette année 1980, la Kabylie décidait une grève générale, et l'on vit, pour la première fois dans l'Algérie indépendante, des soldats pointer les canons des fusils sur leurs frères : ce n'était plus l'armée coloniale qui menaçait, mais des troupes algériennes ! Cet immense mouvement populaire marqua le début d'un mécontentement qui allait se répandre dans tout le pays.

En octobre 1988, l'armée chargeait à la mitrailleuse lourde des milliers de manifestants, dont la plupart était des jeunes et des enfants venus exprimer dans la rue leur désarroi et leur dégoût du régime corrompu. Ce régime qui avait créé le chômage et la misère tout en étalant sans honte les richesses de quelques nantis, ceux que la verve populaire appelait les B.H.V., Blonda-Honda-Villa : une blonde, une voiture et une propriété... le rêve de l'homme ! A Alger, à Oran, à Constantine, la violence du pouvoir s'avéra impitoyable. On dénombra un millier de morts, des centaines de personnes furent arrêtées, torturées, jetées en prison, jugées sans possibilité de se défendre et condamnées à de très lourdes peines. Ces exactions mobilisèrent l'opinion publique. Dans cette atmosphère tendue se créa la première Ligue algérienne des droits de l'homme, présidée par un avocat, Me Ali Yahia. Mais la confusion la plus totale régna bientôt car une seconde Ligue – plus proche du pouvoir – se constitua, puis une troisième, celle-là officiellement légalisée par le gouvernement...

Ces atermoiements ne changeaient pas le cours de l'Histoire, et pourtant les revendications surgissaient de toutes parts, surtout dans la jeunesse et chez les femmes. Le « printemps berbère » aura donc été le détonateur d'une société jusque-là totalement bloquée et figée. Les massacres d'octobre 1988, eux, devaient déboucher sur une ouverture politique et la création d'associations et de nombreux partis au programme démocratique. La gazette de la rue allait bon train. On racontait plaisamment, par exemple, le survol du pays par deux ministres ; ils observent un village regroupé autour d'une oasis et l'un dit à son collègue :

– Si on lâchait des liasses de billets de banque, on rendrait ce village heureux...

– Oui, répondit l'autre, et si l'on répandait plus au loin sur les terres des billets, on rendrait heureux toute la région...

Un Algérien se trouve derrière ces éminents membres du gouvernement ; il les entend et murmure :

– Et si moi je faisais tomber ces deux ministres, je rendrais heureux le pays entier !

Alors que je songeais à tous ces bouleversements, plusieurs chaînes de télévision françaises m'appelèrent et me proposèrent de me rendre en Algérie pour réaliser un reportage sur la situation. Tout d'abord, j'ai hésité. L'image de mon frère aîné m'obstruait le chemin. Je savais qu'il était à Alger : qu'arriverait-il si je le croisais dans une rue ? Encore une fois, ma peur instinctive allait m'interdire l'action, m'empêcher d'aller partager sur place cet espoir, ce pari de la démocratie qui, dans le monde de l'immigration, nous tenaient tous en haleine. Mais je savais aussi que céder aux fantômes du chantage était une folie, je devais trouver en moi la force et la sérénité.

Je voulais à tout prix participer à la lutte des femmes, apporter mon soutien et ma solidarité. J'aspirais tant à revoir l'Algérie où je n'étais plus retournée depuis si longtemps, je voulais vivre les événements, respirer la réalité, loin des commentaires prêt-à-penser de certains médias. Les femmes étaient descendues dans la rue, ces femmes à qui j'avais dédié toutes mes chansons. Ce que j'avais toujours souhaité se produisait : les femmes anonymes, dont les luttes étaient demeurées dans l'ombre, sortaient de leur mutisme, criaient non à l'intolérance, non à la violence. Elles étaient là, les Algériennes, fières, déterminées, redonnant du courage à des hommes indécis. Je ne pouvais rester en retrait, regarder l'Histoire défiler sans y participer ! En m'agrippant à ma sécurité parisienne, mon petit itinéraire personnel prenait le pas sur l'aventure collective de mon pays, mes déboires familiaux étouffaient ces grands mouvements de masse qui secouaient l'Algérie ! Je pris alors conscience de cette nécessité : il fallait que je me libère de mes dernières appréhensions. Je ne pouvais plus faire cas de ma souffrance personnelle. Cette fois, ma décision était irréversible. Advienne que pourra, je partirais pour l'Algérie...

De tous les projets qui m'étaient proposés, celui de l'émission *Envoyé spécial* me parut le plus proche de mes préoccupations : il s'agissait de rencontrer des femmes, de les faire parler, de leur permettre de s'exprimer sur tous les grands sujets qui agitaient le pays. Dans l'avion, j'étais partagée entre le bonheur de retrouver ma terre et l'angoisse d'affronter l'inconnu.

Arrivée sur place, je relevai la tête et sentis une énergie nouvelle monter en moi. Mon angoisse me parut soudain indécente. Ici, la plupart des femmes subissaient l'autorité de l'homme et, pourtant, nombre d'entre elles avaient osé la braver dans un immense mouvement.

Après une aussi longue absence, je redécouvrais Alger, son port et sa mer bleue, ses maisons si blanches qui s'étageaient au lointain, les rues animées... J'espérais ne pas rencontrer mon frère, mais je n'avais presque plus peur et je m'imprégnais d'images, de sons, d'odeurs. Pour un trop bref séjour, je revivais l'Algérie dans ma chair, je me réappropriais ces entrelacs de ruelles, je découvrais de nouveaux buildings, une circulation bruyante et agitée, je me mêlais avec délices à une population où les voiles noirs et les jeans clairs se côtoyaient. Je me retrouvais dans cet autre chez-moi. Rien n'avait changé, et tout avait changé.

Rien n'avait changé : les filles ne s'attablaient toujours pas au café, les couples ne s'enlaçaient pas dans la rue, le fossé entre le monde des hommes et celui des femmes était perceptible, palpable.

Tout avait changé aussi : je vis passer un taxi conduit par une femme, et au coin d'une rue une jeune blonde, en tenue d'agent de police, réglait la circulation. Certains automobilistes ne pouvaient s'empêcher de lancer quelques remarques désobligeantes mais se taisaient bien vite devant son autorité naturelle.

Je voulais tout voir, la sortie des lycées, les universités, surtout celles qui étaient réputées pour être des fiefs du FIS, la Casbah, les marchés. Je regardais des femmes vendre des bijoux à la sauvette, je m'enivrais du parfum exhalé par les bouquets de menthe et de coriandre étalés à même le sol... Je ne rencontrais aucune hostilité. Seulement, lorsque la caméra tournait, face aux journalistes les sourires se faisaient plus moqueurs, des insultes fusaient.

Les Algériennes et les Algériens exprimaient ainsi, maladroitement, leur lassitude de servir de cible aux cameramen et aux photographes du monde entier, et leur agacement de ne pas toujours se reconnaître dans les reportages diffusés.

Parfois les rencontres étaient spontanées, amicales. En déambulant dans le quartier de la Lyre, l'un des plus populaires d'Alger, je suis entrée dans une boutique de tissus. Une femme entre deux âges, vêtue à la manière traditionnelle, le voile porté négligemment, m'a suivie. Lorsque le marchand s'est approché d'elle pour la servir, elle a semblé sourire sous son voile :

– Oh, non ! Je ne veux rien...

Et puis, me désignant, elle a ajouté timidement :

– Je voulais voir cette dame...

Je me suis retournée brusquement et elle a poursuivi :

– Vous savez, je vous ai reconnue, je vous ai vue à la télévision...

Elle s'adressa ensuite au marchand et avec fougue me présenta de cette manière surprenante :

– C'est une grande vedette, elle chante et elle est kabyle comme moi !

J'ai fait un pas dans sa direction, nous nous sommes embrassées et elle est repartie en me souhaitant bonne chance. Dans ces deux mots, elle mettait une telle conviction, une telle sincérité que j'ai compris sa solidarité et l'espoir qu'elle avait dans notre combat commun.

Eblouie, exaltée par ce que je découvrais, j'oubliais mes craintes personnelles. Le bonheur des retrouvailles avec cette terre dominait tout. Je savais que rien ne pourrait m'arriver dans ces ruelles chaleureuses et grouillantes. Je découvrais que j'appartenais à ce pays, à ce peuple si fier, si riche de son humour, de sa verve, de son autodérision.

Et je me remémorais les histoires drôles qui inspiraient mon Algérie en plein marasme...

Sur l'une des places principales d'Alger se trouve une statue de l'émir Abd el-Kader, l'unificateur des forces algériennes au siècle dernier. La statue est si petite qu'elle semble perdue sur une immense dalle de marbre... Un jour, un ministre algérien sort du siège du FLN et déambule devant l'émir de bronze... Psst... Psst... la statue s'anime et appelle le passant :

– Tu ne pourrais pas me donner un cheval, que je sois un peu plus imposant sur mon socle ?

Le ministre n'en revient pas : la statue est douée de vie ! Le lendemain, il confie à l'un de ses collègues, réputé pour être assez niais :

– Viens, on va passer devant la statue, tu verras, elle nous appellera...

Ils longent inutilement la place, l'émir ne bronche pas et reste dans son immobilité de métal. Alors le ministre retourne sur ses pas et souffle à la statue :

– Pourquoi ne nous as-tu pas appelés, aujourd'hui ?

– Je t'avais demandé un cheval et pas un âne, répond Abd el-Kader.

J'observais ce pays et mon âme voyageait au-delà de la ville, elle s'envolait vers les monts du Djurdjura, vers mon village. Pour moi, le Djurdjura restera toujours le pays majestueux si cher à mon souvenir et où on appelle les femmes *tilaouine*, les cœurs. Deux cents kilomètres seulement m'en séparaient, deux cents kilomètres d'une petite route qui serpentait à travers la montagne. Ifigha était tellement proche, et pourtant inaccessible. Le temps pour m'y rendre me manquait, bien sûr. Mais aussi, comment aurais-je pu aller affronter ma famille sur son propre terrain ? Ma présence n'aurait-elle pas été comprise comme une provocation ? Alors je me résignai à rêver une fois de plus à la douceur perdue de ma minuscule et intime patrie.

J'étais frustrée, nostalgique aussi, de ne pas revoir ma Kabylie, son paysage escarpé, ses montagnes, ses forêts, ses fontaines, j'étais surtout révoltée devant cette injustice de ne pouvoir aller me recueillir là où repose Setsi Fatima. Je me consolais en me répétant qu'elle était en moi et que je n'avais guère besoin d'aller sur sa tombe pour l'aimer toujours et la vénérer. Hélas, les larmes me venaient aux yeux, ma gorge se nouait à l'idée de ne plus sentir les fleurs des champs de mon village, de ne plus entendre le cri aigu des enfants et des femmes se rendant à la fontaine, de ne plus goûter aux figues fraîches et à l'or liquide des oliviers de mes ancêtres. Les vieilles de jadis étaient-elles encore vivantes ? J'aurais tant voulu revoir la « sorcière » de mon enfance, cette femme effrayante et mystérieuse qui peuplait mes cauchemars de petite fille. Tout cela m'était interdit.

J'aurais voulu aussi retrouver un peu de ces veillées d'autrefois au coin du feu, quand ma grand-mère me racontait l'histoire de la Fosse de la Mariée. Une belle histoire, dont je ne saisissais pas alors tout le sens...

Lalla Myriam était l'épouse d'un homme qui vivait dans un village non loin de Djemmâa Saridj, région très fertile de Kabylie, un coin béni entre tous en Algérie. Un jour, l'homme voulut prendre une seconde femme. Il en trouva une dans un village voisin et décida de la ramener chez lui par surprise. Pour la noce qui s'organisait en grand secret, le mari demanda à sa femme de préparer le couscous :

– J'attends des invités... dit-il simplement.

La femme ne se douta de rien et se mit à rouler la semoule. De son côté, le mari ameuta les amis qui devaient accompagner le cortège de la fiancée, mais une vieille l'entendit et devina ce qui allait se passer... Elle se précipita chez la première épouse et la trouva en train de cuisiner.

– Que fais-tu, malheureuse ? demanda-t-elle.

– Je fais le souper des invités de mon mari, réponditelle.

– Tu ne sais donc pas que ton mari va se remarier ? Laisse donc le souper, il te prépare une seconde femme.

Lalla Myriam répondit :

– Non, je finirai mon travail, il y a Dieu et il y a le torrent...

Ces mots énigmatiques prononcés, elle se remit à l'ouvrage. Le soir, toute la noce se mit en chemin, accompagnant la future épouse. Tout à coup la pluie se mit à tomber, le tonnerre gronda, le vent se leva... Quand le cortège parvint sur les rives de l'oued en furie, les eaux montèrent et engloutirent les invités, la fiancée et le mari dans le courant, sans qu'aucun ne puisse fuir. Depuis ce jour, cet endroit s'appelle la Fosse de la Mariée.

Je comprends aujourd'hui ce que signifie cette légende. Avec leur pouvoir de conteuses, les femmes luttaient à leur manière contre la polygamie. Cette histoire, colportée de bouche à oreille, et de nombreuses autres sur le même thème lançaient un avertissement aux hommes.

En fait, le souvenir de Setsi Fatima m'accompagna durant tout mon séjour. Je trouvai dans le regard et dans les propos des femmes que je pus rencontrer un prolongement politique et contemporain aux veillées d'autrefois. Je découvris aussi une détermination dans la lutte et une foi dans la démocratie apte à déstabiliser tous les intégristes d'Algérie. Leurs revendications étaient en symbiose totale avec le thème de l'émission sans que nous ayons à intervenir. Je me suis confrontée à la dureté de leur condition dans un pays qui se construisait dans les contradictions, les heurts, le sang parfois. Je ne voulais pas apporter une bonne parole nourrie au lait de l'émancipation féminine, je ne voulais pas jouer là-bas les Occidentales affranchies portant la vérité à leurs compatriotes. Non, je voulais écouter le cri de toutes ces femmes. Simplement. J'avais toujours soutenu, jusque dans mes chansons, que l'Algérie bougerait par le pouvoir féminin, c'était le moment de frotter mes convictions à la réalité en provoquant des rencontres avec ces militantes de la liberté.

J'étais surtout soucieuse de savoir comment elles se situaient par rapport aux prétentions des extrémistes islamistes qui voulaient imposer le port du *hedjab*. Ce grand manteau noir venu du Moyen-Orient, couvrant tout le corps jusqu'aux pieds, fut longtemps complètement inconnu en Algérie et vaut encore actuellement, aux femmes qui le portent, le sobriquet irrespectueux de « 404 bâchées » ! Les intégristes discutent d'ailleurs sans fin la longueur, la couleur et la forme idéales du voile, au mépris des réels problèmes qui ravagent l'humanité. Chez nous, on portait traditionnellement le *haïk*, vêture plus légère, souvent faite de soie, et dont le tissu sur le visage, brodé et indiscret, se faisait aérien. Maintenant, le long voile noir remplace cette toilette somme toute féminine, et l'on en voit beaucoup dans les rues, comme on croise de nombreux hommes barbus ayant troqué définitivement le costume moderne pour la *gandoura* blanche. Beaucoup le font, me dit-on, pour conférer un minimum de dignité à leur misère : le prix d'un pantalon reste inaccessible pour les plus pauvres.

Pourtant, *gandouras* et jeans se côtoient fort bien et apparemment sans problèmes. Car parallèlement à cette radicalisation vestimentaire, j'ai constaté un formidable appétit de vie, une réelle ouverture sur le monde. A la télévision, par exemple, chaque semaine une émission, *Rock Dialna* (Notre Rock), est animée par la belle Rim et un jeune homme : devant leur entrain communicatif, on se sent bien loin du visage grimaçant de l'intégrisme... Dans ce paysage multiple et contrasté, les femmes parviennent tout de même, sans bruit mais avec une inébranlable volonté, à gagner du terrain.

D'abord, je fis un petit détour par la cinémathèque pour retrouver mes amis Boudjemâa et Yazid, les directeurs, et me souvenir que mon premier film, *Ali au pays des merveilles*, avait été grâce à eux autrefois programmé dans cette salle réputée dans le monde entier. Pour m'accueillir, un téléfilm de Merzak Allouach sur la lutte des femmes en Algérie était projeté. Je découvris ainsi des femmes luttant pour leur avenir, organisant des meetings, des femmes capables d'analyses politiques percutantes. Le reportage, remarquablement documenté, suivait une jeune intellectuelle dynamique et convaincante, haranguant les foules pour la dignité et les droits des femmes ; elle dénonçait l'avilissant *Code de la famille* et, sans jamais faire appel à la violence, refusait haut et fort la séparation des sexes, l'endoctrinement idéologique, l'enfermement...

Toutes ces battantes aperçues sur l'écran m'ont donné chaud au cœur, et j'avais hâte de retrouver ces femmes déterminées. De Paris, j'avais pris quelques contacts avec des anciennes camarades prêtes à m'accueillir, à me parler, à m'organiser des rencontres, car d'ordinaire ces femmes se font discrètes. Après avoir lutté contre tous et également contre elles-mêmes, elles se retrouvent souvent isolées, méprisées, n'ayant pas su – aux yeux de certains – rester à leur place, silencieuses et soumises.

L'univers masculin place encore son honneur dans la réclusion du sexe féminin. La société algérienne fera sans doute un immense bond en avant lorsqu'elle admettra que la femme ne peut pas demeurer une mineure toute sa vie. A vrai dire, ce sont les hommes qui sont déstabilisés dans cette civilisation ; ils se sentent constamment menacés dans leur virilité, dans leur rôle protecteur, ces conceptions désuètes les troublent et les dévorent à petit feu. Les plus honnêtes d'entre eux commencent à reconnaître la supercherie et sont conscients que leur bien-être passe aussi par une remise en question, tôt ou tard, de leur propre statut, que leur bonheur et celui du couple sont à ce prix. Dans *A comme Algériennes*, un ouvrage publié récemment à Alger, Souad Khodja écrit : « Ce jour-là, le voile de la comédie machiste tombera de lui-même, c'est alors que commenceront l'humilité et la véritable connaissance de l'autre, démarche si angoissante, mais combien gratifiante. »

Grâce à mes amies, et au hasard des rencontres, je pus côtoyer de nombreuses Algériennes. Elles acceptèrent de parler, certaines devant les caméras de la télévision, d'autres dans un cadre plus intimiste. Je découvris avec émotion des visages différents qui composèrent pour moi un kaléidoscope coloré et amical de mon Algérie aimée. Cette Algérie qui m'est encore plus proche lorsque je la sens diverse, mouvante, bouillonnante, prête à s'enflammer pour de grands idéaux. Bien éloignée des clichés que l'on nous présente ordinairement.

Je rendis visite à Louisa, une amie de longue date et que je n'avais pas revue depuis près de dix ans. Nos retrouvailles furent pleines d'émotion et de chaleur, elle me serra dans ses bras puis me présenta ses enfants devenus presque adultes. Je lui expliquai le sens de ma démarche, je lui fis part de mon intention de rencontrer des filles de tous âges et de toutes conditions :

– Je suis là pour montrer l'Algérie qui bouge et donner la parole aux femmes. J'ai toujours eu l'espoir qu'elles ne restent pas à l'écart des grands mouvements du pays, et je voudrais faire toucher cette réalité du doigt, de l'autre côté de la Méditerranée. En France, on perçoit mal cette mouvance, tous les projecteurs sont braqués sur la montée de l'intégrisme.

Louisa fit venir chez elle ses voisines et ses amies. Bientôt l'appartement fut envahi d'une petite foule animée, amicale. Une musique andalouse et quelques pas de danse aidèrent à briser la glace. Je voulais poser toutes les questions qui se bousculaient dans ma tête : Où en est le mouvement des femmes ? Qui porte le voile ? Comment les jeunes filles voient-elles leur avenir ? Mais on ne m'écoutait pas. Elles étaient toutes venues d'abord pour me parler, évoquer Paris, la France, me dire aussi qu'elles avaient lu mon livre.

– Je voulais te remercier d'avoir eu le courage d'écrire ton histoire, me dit Zineb, une frêle jeune femme, institutrice dans une école du quartier. Je crois que cela peut servir d'exemple, de réconfort, pour toutes celles qui subissent les abus du patriarcat.

Une autre me fredonna en riant l'une de mes chansons et conclut :

– Tu sais, le combat que tu mènes par la musique, nous le ressentons ici comme un réconfort et un soutien pour celles qui sont privées de tout, les pauvres, les analphabètes, qui n'ont pas accès aux livres ou aux journaux...

Je leur parlai un peu de Paris, de la communauté immigrée. Mais je n'avais rien à leur apprendre, comme le disait l'une d'elles :

– Nous savons tout ce qui se passe et se fait dans le milieu maghrébin de Paris, les distances ne comptent pas car la plupart d'entre nous ont de la famille là-bas...

Après avoir ainsi dansé, bu le thé à la menthe et bavardé à bâtons rompus, on en arriva au sujet de notre rencontre. La première qui prit la parole fut Leïla, la fille de notre hôtesse. Gamine fière de ses dix-sept ans, elle toisait de haut le buste de Beethoven posé sur une étagère proche du piano et affichait une passion pour Madonna. Ce jour-là, elle fut un peu pour nous le drapeau de la jeunesse algérienne : elle nous rappela avec une sorte de gourmandise dans la voix que soixante-dix pour cent de la jeunesse du pays avaient moins de vingt-cinq ans !

– J'espère que ceux qui vont monter au pouvoir penseront à nous... Il faut dire la vérité, nous, les jeunes, on veut vivre bien, on ne veut pas quitter l'Algérie. Moi, j'ai des copines qui portent le *hedjab* et qui sont ouvertement contre le Front islamique du salut...

La maman de Leïla intervint :

– Je voudrais qu'elle sorte, mais tous les endroits sont mal fréquentés. L'autre jour, elle a voulu porter la mini-jupe, je lui ai dit : "Vas-y !" Elle n'a pas fait deux pas dans la rue et elle est revenue... Les censures et les interdictions se font d'elles-mêmes.

Encouragée par les propos de Leïla, l'une de ses camarades prit la parole. Naïma est la fille d'une héroïne de la guerre d'Indépendance. Elle a vécu, entre l'Algérie et la France, une enfance très protégée. Melting-pot entre une tradition révolutionnaire et un enseignement religieux vécu dans l'harmonie et la liberté, elle tenta d'analyser la situation nouvelle. Immédiatement, Naïma me parla de sa famille, de sa mère entrée vivante dans la grande légende de l'Algérie décolonisée, de sa grand-mère traditionnelle « jusqu'à l'austérité » et qui lui avait appris les prières récitées cinq fois par jour. C'est pourtant cette grand-mère qui prit sa défense lorsque, sortie de l'adolescence, elle se mit en tête de se maquiller. Devant les remontrances de la mère, la vieille femme déclara :

– Mais enfin, si elle ne se maquille pas aujourd'hui, tu ne voudrais quand même pas qu'elle se maquille à soixante-dix ans. Ça servirait à quoi ?

En fait, ce que Naïma ne s'expliquait pas, c'est que dans ce pays où la femme avait joué son rôle dans le grand combat pour la liberté, elle n'avait pu, au moment de la victoire, trouver une place équitable dans la société.

– L'homme essaie toujours de sauver ses privilèges, me dit-elle. On appartient quand même à un monde fait par les hommes, à un patriarcat qui considère que la société est une affaire d'hommes. Les femmes n'ont pas à s'en mêler. C'est pour cela que la distribution des rôles a été faite : maintenir les femmes dans les tâches domestiques. Si une femme se rend dans l'univers des hommes, dans la politique, dans les bureaux, dans les espaces qui leur sont généralement réservés, il lui faut accepter de devenir un être sans sexe. D'où la nécessité de cacher le corps féminin. Le travail effectué par nos mères aura servi à quoi ? Sûrement pas à nous faire évoluer, tout est à refaire comme si nous partions de zéro !

Je demandai à Naïma comment s'était faite la montée de l'intégrisme. Elle se lança alors dans une analyse économique et politique brillante :

– Je crois que c'est une situation qui existait depuis un certain nombre d'années, une situation qui a eu le temps de mûrir à cause des problèmes de la société, à cause de la crise économique, de la crise culturelle. Il y a de telles difficultés en Algérie actuellement que la mosquée devient un refuge. Je prends un exemple : il existe une grave crise du logement. Prenez une famille de vingt personnes dans deux pièces, les gens dorment à tour de rôle, un véritable cauchemar apparaît entre les frères et les sœurs. Les hommes sortent donc à l'extérieur pour laisser un peu la place aux femmes. Mais au-dehors, il n'y a rien, ni véritable théâtre, ni centres de loisirs. Le jeune, où va-t-il ? Ou il reste dans la rue, ou il va à la mosquée. Le travail des religieux a commencé dans les mosquées de cette manière. Ces gens démunis de tout, à partir du moment où ils trouvent un refuge, ont un peu l'impression de régler leurs problèmes. Cela n'a rien de comparable avec certains pays arabes où existe une réelle tradition des Frères musulmans qui date du début du siècle. En Algérie, la montée intégriste s'est greffée sur une situation de crise. J'ai écouté des cassettes des différents prêches de la mosquée, dans la majorité des cas le discours était une contestation du régime, une dénonciation du vol et de la corruption. Et ce langage trouve une résonance dans les inquiétudes de la population. On n'a rien fait pour les jeunes. On a complètement médiocrisé l'enseignement, on a préparé le lit du FIS.

D'un côté un enseignement en déroute, de l'autre des écoles coraniques qui semblent bien avoir abandonné le message de paix dispensé jadis. Les élèves de ces établissements religieux formés dès l'âge de six ans à l'obscurantisme le plus dur reflètent le repli sur soi dans des valeurs archaïques. Il faudra du temps, beaucoup de temps pour extirper la terrible idéologie qu'on a mise dans la tête de ces jeunes, et beaucoup de parents sont aujourd'hui conscients que le système éducatif fait partie des priorités de ce pays : « Non à l'endoctrinement de nos enfants », lit-on sur les murs d'Alger.

Les mamans que j'ai rencontrées ce jour-là étaient convaincues que leurs enfants allaient bien souvent à l'école du dressage, de la culpabilité et de l'intolérance. L'une d'elles me disait :

– On voudrait nous faire croire que le FIS est représentatif de l'Algérie. C'est l'Algérie, ça ? Des parasites dont on ne sait trop qui ils sont, des voyous déguisés en religieux : ils ne sont ni rasés ni barbus et ils cachent le blouson de cuir sous la gandoura !

Si je parle des jeunes c'est parce qu'ils sont la force du pays. On les retrouve aujourd'hui désespérés, désœuvrés, exclus de la société. Ce sont des sortes de mutants qui se cherchent et se replient sur eux-mêmes. Comme ils n'ont plus d'espoir, ils se tournent vers la religion, ils imaginent que Dieu seul pourra les sauver. Mais ils désirent avant tout se sortir de leur misère et ne rêvent pas forcément à une République islamique à l'iranienne...

Le ton changea avec Malika la *moudjahidate*, une ancienne combattante qui prit le maquis à l'âge de seize ans :

– Je ne me suis pas battue, les armes à la main, pour voir aujourd'hui ma fille porter le voile et se faire matraquer par la police ! dit-elle de sa voix un peu rauque, tirant sur son éternelle cigarette.

Elle me raconta comment, après l'Indépendance, elle avait voulu, comme tant de jeunes filles d'alors, fonder une famille, oublier la politique, se fondre dans une vie normale.

– Nous étions si jeunes..., dit-elle. Quand la guerre fut terminée, nous pensions que les choses iraient de soi, y compris nos droits féminins. Epuisées par plus de sept ans de guerre nous ne songions qu'à construire des foyers et notre lutte s'est arrêtée.

En entendant évoquer ces faits vieux de trente ans, chacune y alla de son commentaire. Dans un brouhaha sympathique et animé, on m'expliqua que, lorsque le Front de libération nationale avait déclenché l'insurrection contre la France colonisatrice en 1954, il avait clamé haut et fort sa volonté de chasser l'occupant mais n'avait pas jugé utile de définir trop précisément quelle forme prendrait cette indépendance promise et annoncée. En ce qui concerne les femmes *a fortiori*, le FLN n'avait aucune plate-forme politique, même si celles-ci furent nombreuses dans la lutte. En effet, dans cette guerre qui allait durer presque huit ans, des femmes prirent leurs responsabilités aux côtés des hommes : moins suspectes de participer aux combats, elles pouvaient se glisser partout et l'on en vit porter sous leurs vêtements les bombes qui semaient la terreur dans les quartiers européens. Dans l'ivresse de la guerre, les débats idéologiques n'étaient pas de mise, pourtant un observateur attentif aurait déjà pu prévoir que rien ne changerait dans un avenir proche, la femme sortie un moment de son enfermement pour cause de nécessité stratégique y retournerait bien vite.

En effet, si le FLN ne parvenait pas réellement à proposer un modèle de société à instituer après la victoire, il s'accrochait désespérément à la tradition islamique comme à une planche de salut, un consensus sans risque et sans imagination qui permettrait au moins de grouper autour de la « révolution » toutes les couches de la population algérienne. Sous le régime francais, les musulmans interdits de langue arabe dans les écoles, soigneusement analphabétisés par le « civilisateur », ne connaissaient la religion que par l'intermédiaire d'écoles coraniques décadentes où de vieux professeurs faisaient réciter mécaniquement les versets du Livre Sacré. Pour cette population à laquelle sa propre histoire n'était évidemment pas enseignée, l'islam représentait le plus souvent un mythique âge d'or, une période glorieuse et perdue. Brandir sans plus d'explications le drapeau de la foi permettait aux dirigeants du FLN de trouver le seul élément mobilisateur et unificateur possible : la religion, ciment capable de souder le peuple contre le colonisateur.

Lorsque sonna l'heure de l'Indépendance tant attendue, les femmes obtinrent le droit de vote. Quelques aménagements semblèrent interdire, en principe, des excès comme le mariage précoce, l'union forcée, la polygamie.

Pour apporter de l'eau au moulin de la *moudjahidate*, et pour me faire sentir combien l'égalité des droits paraissait évidente alors, une des femmes présentes chez Louisa me raconta que lorsque le FLN organisa pour les combattantes un grand banquet dans le cadre luxueux du Club des Pins, à la sortie d'Alger, une invitée lança au barman en forme de boutade :

– Ah ! On voit bien que nous avons obtenu notre Indépendance et que les femmes sont libres, car aujourd'hui nous sommes servies par les hommes !

Seulement, en réalité, malgré les aménagements constitutionnels, la coutume l'emporta vite, et l'on sut avec habileté contourner la législation pour remettre en vigueur les anciennes traditions. Quelques années encore et toutes les belles intentions du début tombaient dans les oubliettes de l'histoire. Priée de rentrer dans ses foyers, la femme laissait la place libre à l'homme. La montée du chômage allait achever de réduire son rôle à celui de reproductrice et d'épouse soumise : comment pouvait-elle exiger d'entrer dans le monde du travail alors qu'une grande partie de la jeunesse demeurait sans emploi et que les trois quarts des chômeurs avaient entre seize et vingt-trois ans ?

Un rendez-vous historique a été manqué en 1962, celui qui aurait définitivement mis l'homme et la femme sur un pied d'égalité, comme ils l'avaient été dans les maquis. Il faut maintenant repenser la société dans ses fondations mêmes. Car la libération de la femme passe aussi par celle de l'homme, par celle du couple, par celle de la structure sociale. Le monde arabo-musulman fonctionne toujours sur des principes fondamentaux anciens où la femme est perçue comme un être mineur, destiné seulement à la double fonction de satisfaction de l'homme et de maternité. En réclamant sa place dans la société et en proclamant sa volonté farouche de participer à la vie avec la pleine conscience de sa maturité et de ses possibilités, la femme ébranle la charpente de tout l'édifice, sa revendication est un séisme prêt à tout emporter. L'émancipation féminine ne peut se morceler, elle doit être totale et ne peut que provoquer un bouleversement profond et ravageur. Il est donc logique que l'homme, agrippé à ses privilèges, s'acharne à refuser à la femme le moindre soupçon d'autonomie. Il sent bien que se serait alors le coin qui viendrait s'insinuer dans la faille. Une réelle libération de la femme, en effet, engloberait tous les domaines de la vie, religieux, économique, politique, culturel, sexuel...

Reste à savoir si l'homme a vraiment à redouter cette évolution où s'il devrait, au contraire, la souhaiter. Doit-il avoir peur d'un monde qui ne dépouillerait plus sa compagne de son corps, qui ne la réduirait plus à l'état de chair à consommer et d'être humain chosifié ? Ne profiterait-il pas, lui aussi, de cet affranchissement ?

L'histoire aujourd'hui semble rattraper Malika la *moudjahidate*. Il lui faut à présent à nouveau descendre dans la rue, réclamer ses droits. Elle souligne l'importance des femmes dans le processus de démocratisation, ces femmes qui sont en première ligne dans ce combat :

– L'autre jour, au cours d'une manifestation, la police a voulu charger les filles... C'est nous, les anciennes combattantes, qui nous sommes mises en avant, comme des boucliers. On a crié aux policiers : "Si vous voulez tuer, il faudra commencer par nous. Allez-y, tirez !" Ils ont fait un pas en arrière et on a sauvé nos filles ! Le FIS, c'est un champignon après la pluie, si on donne du travail à nos *hitistes*, il va s'évaporer comme il est venu... me soutient Malika.

Les *hitistes*... un néologisme tiré du mot *hit*, le mur. Ce sont ceux qui « tiennent » les murs car ils sont toute la journée oisifs, adossés au mur. Ce sont ces chômeurs, ces laissés-pour-compte que le FIS a récupérés dans ses rangs en leur promettant le paradis. Ce n'est pas pour les fanatiques religieux que ces malheureux ont voté, ils ont voté pour dire non à trente ans de pouvoir corrompu qui ne leur avaient pas fourni de travail. On leur a bien proposé des partis démocratiques, mais que savent-ils de ces partis ? Ils sont si récents en Algérie ! Le multipartisme est une idée neuve. Alors, entre ces partis inconnus, le FLN et le parti de Dieu, ils n'ont pas hésité. Certains ont même avoué que si tout était perdu, ils auront au moins sauvé leur âme en votant pour Dieu !

Quelques heures plus tard, emmenée par une des invitées de Louisa, je me retrouvai comme par enchantement dans un milieu plus huppé, bien différent de ceux que j'avais côtoyés jusqu'ici. Assise dans le salon d'une vaste villa des hauteurs d'Alger, Zohra me reçut aimablement, surprise sans doute de me voir arriver chez elle inopinément pour lui poser une multitude de questions. Pourtant, elle ne laissa rien paraître de son étonnement.

Zohra est médecin. Elle est originaire d'une famille bourgeoise de l'est algérien où les femmes ont toujours été relativement libres. Même sa mère, me dit-on, recevait sans faire de ségrégation de sexe les amis de son mari : cela veut dire qu'elle se mettait à table aussi bien avec les hommes qu'avec les femmes. Alors que d'ordinaire la femme ne se montre pas ou fait une courte apparition devant les invités, la mère de Zohra non seulement s'asseyait à la table familiale, mais elle n'hésitait pas, après le repas, à allumer une cigarette ! Evénement tout à fait impensable il y a quelques années et encore rare de nos jours. Dans la plupart des familles, si les jeunes femmes fument quelquefois, c'est toujours loin des regards de leur mari ou de leurs parents.

Zohra a pu poursuivre sereinement des études, encouragée par sa famille. Tout s'est passé le mieux du monde pour cette femme grande, sportive, pleine d'ambitions. A la faculté, elle a rencontré un jeune homme du même milieu qu'elle, ils se sont aimés, ils se sont mariés. Elle a ouvert son cabinet médical, il a fait carrière dans la haute administration.

Zohra et son mari ont fait un mariage d'amour et se sont choisis mutuellement, ce qui n'est pas toujours fréquent sous ces latitudes et surtout à leur époque. Zohra sait bien qu'elle est une privilégiée. Tant d'amies de sa promotion ont dû abandonner leur carrière sous la pression d'un époux jaloux ou rétrograde ! Ce qui lui fait dire, avec humour :

– Nous avons les éplucheuses de pommes de terre les plus cultivées du monde !

Elle vit heureuse et libre au sein de la haute société algéroise.

– Les amies que je fréquente ne s'offusquent pas de me voir un verre de whisky à la main..., dit-elle.

J'étais séduite par Zohra. Elle représentait ce que je n'avais pu réaliser qu'au prix de mille difficultés, de souffrances, de concessions. Pour elle, en revanche, tout paraissait facile, naturel. Tout dans ses attitudes respirait la femme émancipée. Sa manière de s'asseoir, sa façon de croquer les pistaches en jetant l'écorce comme si elle se débarrassait de ses soucis, sa manière d'affirmer :

– Moi, je fais des paquets avec mes problèmes, je les ficelle et je les jette à la mer...

Elle vit ainsi au cœur d'une société aux mœurs rigides et austères sans que cela paraisse l'effleurer. Elle me confia le plus simplement du monde qu'elle et son mari étaient maintenant séparés mais restaient de véritables amis. Elle ne veut plus s'encombrer d'un époux, elle choisit son destin, ses amours comme elle le veut, et poursuit une vie active. Lorsque parfois elle souffre sentimentalement, elle va se confier à celui qu'elle appelle toujours son mari.

Dans ce pays qui paraît parfois se refermer sur ses valeurs anciennes et obscurantistes, au centre même d'un univers qui semble se figer, Zohra et d'autres vivent une existence libre qui n'a rien à envier aux femmes les plus émancipées de notre époque. Je n'ai pas de jugement à porter sur leur vie, mais il me paraît important de montrer que les contradictions ne sont pas absentes de cette société en mutation.

Si Zohra a la chance de pouvoir travailler librement, dans d'autres sphères de la société l'activité des femmes à l'extérieur pose de réels problèmes. Néanmoins, c'est sans doute un passage obligé pour les libérer de l'enfermement où elles se trouvent souvent, même si le travail féminin est perçu par les hommes à la fois comme un danger et comme une nécessité.

Celles qui ont le bonheur d'avoir accédé à la scolarité trouvent bien sûr plus facilement un emploi. Ainsi, Fatima était secrétaire dans une grande entreprise. Ses parents, après avoir longtemps hésité, lui avaient permis de travailler car un salaire supplémentaire était devenu indispensable. La famille vivait jusque-là à huit dans deux pièces, avec pour tout revenu les maigres appointements du père. Son frère cadet était au chômage et les autres trop jeunes pour travailler. On retarda donc son mariage :

– Nous pouvons la garder encore un an ou deux, elle nous aidera à construire la maison du bled, la brique est introuvable et la pierre hors de prix ! avait annoncé la maman, et le père acquiesça d'un geste de la tête.

Dès lors, Fatima accéda à un statut qui lui conféra une aire de liberté. Elle donnait évidemment la plus grande partie de sa paie à son père, et cela lui faisait plaisir. Le seul fait de pouvoir sortir du trop petit appartement, de mener une vie hors de la cellule familiale était déjà une chance inestimable. Elle se savait enviée par la plupart de ses amies.

Fatima mesurait son bonheur en observant le sort réservé aux autres jeunes filles de son âge. Smina avait été mariée récemment, une union imposée vite transformée en cauchemar : son mari la battait et sa belle-mère, perverse et cruelle, excitait son fils en accusant sa bru de lui voler de l'argent.. Une voisine, Souila, avait bien, elle aussi, occupé quelque temps un petit emploi, mais tout s'était vite dégradé, son mari étant hanté à l'idée de voir son honneur « souillé ». Quand sa femme arrivait avec quelques instants de retard, il entrait dans une sombre colère :

– Je suis cocu, maintenant..., répétait-il.

Comme la loi elle-même prévoit que, pour travailler, une femme doit recevoir l'autorisation de l'époux, Souila trouvait naturel et dans l'ordre des choses de remettre tout son salaire à son mari ; elle ne se révoltait pas plus de devoir lui demander une fois par mois la permission d'aller au hammam ou de rendre visite à ses parents. Mais ces marques d'obéissance ne suffisaient pas au jaloux. Sa virilité chancelait à chaque fois que Souila franchissait le seuil de l'appartement. Finalement, l'épouse disciplinée jugea elle-même préférable de renoncer à sortir seule et abandonna son emploi.

Pour Fatima, les choses n'étaient pas simples non plus. Elle souffrait des regards goguenards ou salaces de ses collègues masculins. La femme dans la rue ou au bureau, surtout si elle n'est pas voilée, est en Algérie un phénomène provocant ; les hommes ne savent comment réagir face à cette invasion de leur domaine, ils sentent leurs privilèges menacés. Pour se défendre, pour maintenir leur règne sans partage, ils ont une tendance fâcheuse à considérer très rapidement ces jeunes travailleuses comme des filles aux mœurs légères. Fatima subit bientôt les attitudes sans équivoque de son patron et des autres hommes de l'entreprise. Sans cesse, elle était harcelée de sous-entendus et de propositions gênantes. Et pourtant, elle marchait la tête haute sans paraître affectée par ces regards qui la déshabillaient et ces propos grossiers. Alors on prit son attitude pour du mépris, les tentatives de charme se muèrent en agressivité, la vie au bureau devint un enfer. Que devait-elle faire ? Demeurer chez elle ? Accepter de se marier ? Renoncer par dégoût et désespoir à tout ce qui animait ses jours ?

Une colère grondait en elle, la colère contre l'injustice qui faisait d'une femme un être sous tutelle, privé de sa liberté élémentaire. Alors, comme d'autres avant elle, elle décida de porter le voile et de rentrer dans les rangs du FIS. Elle crut avoir trouvé la solution. En effet, le manège du bureau cessa. Quand elle arriva ainsi voilée, on la considéra avec respect, impressionné par la connotation religieuse du voile. Elle constata rapidement qu'elle n'était pas la seule à porter le *hedjab* sans conviction, uniquement pour avoir la paix. Certaines portaient même sous le voile minijupe et décolleté pigeonnant...

– C'est très pratique, lui dit l'une d'elles, ce bout de tissu est la couverture sociale qui te permet de faire ce que tu veux en toute liberté. Regarde, on est mieux que des Parisiennes... (Et elle dévoila sous le vêtement rituel une jambe nue jusqu'à mi-cuisses.)

Les extrémistes du FIS n'étaient pas véritablement dupes de ces motivations. Une enquête fut menée sur Fatima, on la contraignit à se rendre à la mosquée pour la prière du vendredi. Elle se laissa influencer et fut prise en main par un groupe de Sœurs musulmanes qui se mit en tête de faire son éducation. Alors commença l'apprentissage de la nouvelle conduite de rigueur. On lui martela des paroles délirantes : l'Occident était l'ennemi de l'islam, là-bas les femmes s'offraient à tous, leur liberté se résumait à la pilule qui rendait le ventre stérile, toutes étaient des avorteuses et narguaient des hommes qui avaient perdu leur virilité dans des jeans serrés créés par le Grand Satan américain dans une immense conspiration à l'échelle planétaire...

– Que Dieu nous préserve de ces créatures immondes qui veulent nous submerger de leurs chaînes hi-fi, de leurs antennes paraboliques, qui voudraient déchirer le voile de nos filles et les détourner de la maternité pour laquelle la femme a été conçue sur cette terre..., répétait-on à Fatima dans un discours qui, heureusement, ne fait pas l'unanimité chez les musulmans.

La jeune femme s'aperçut que le harcèlement dont elle avait été victime au bureau laissait la place à un autre. Elle ne reconnaissait pas, dans les propos qu'on lui tenait quotidiennement, l'islam qu'elle avait vécu chez elle, un islam fait d'amour et de fraternité. Elle comprenait qu'au nom de la religion, les Frères musulmans – que les Algérois appelaient par dérision les F.-M., les fusils-mitrailleurs – tentaient de faire régner la terreur.

Fatima était désemparée. Toutes les portes se fermaient devant elle. Si elle refusait l'intolérance des extrémistes, le monde du travail la rejetait...

Lorsque je l'ai rencontrée, elle avait abandonné les intégristes et retrouvé un emploi où elle se sentait plus à l'aise. Aujourd'hui, elle milite dans un parti politique dont le programme revendique la démocratie et l'égalité des droits entre l'homme et la femme.

Pendant que je faisais ces rencontres, la journaliste d'*Envoyé spécial*, Aubery Edler, poursuivait son enquête. Elle cherchait désespérément une famille proche du FIS qui voudrait bien parler devant les caméras. Elle finit par la trouver. Le père, Abdelaziz, était cadre supérieur dans une entreprise de produits pharmaceutiques. Militant actif du FLN durant de longues années, il avait finalement décidé de rejoindre les rangs du Front islamique en 1990.

Il reçut la reporter française dans son bureau, où il discuta fort librement avec elle, et accepta d'organiser une rencontre avec toute sa famille en l'invitant à dîner le soir même. Il la prévint pourtant : elle devrait probablement manger en cuisine, avec les autres femmes de la maison, les honneurs de la salle à manger étant réservés aux hommes.

– Il y a des règles strictes de l'islam à respecter, j'essaie peu à peu d'y habituer ceux qui sont en relation avec moi, expliqua-t-il, un peu gêné tout de même.

Lorsque la journaliste arriva à l'appartement, Zoubida, l'épouse, accompagnée de la belle-mère, s'affairait à la cuisine. Aux murs, quelques calendriers et des versets du Coran constituaient les seuls ornements de cet intérieur austère, la musique même était proscrite : dans leur croyance, ces gens reconstituaient un islam plus rigoriste qu'il ne l'est en réalité. Zoubida, nerveuse, timide, accepta de répondre aux questions de « l'envoyée spéciale » puisque le mari l'avait demandé, mais son discours n'avait rien de personnel, il était stéréotypé, comme appris par cœur :

– Je vis très bien, j'aime rester à la maison. C'est mieux. Je ne vais pas au cinéma. Nous, les femmes musulmanes, vous savez... Je sors voir la famille le week-end... Mais si je m'ennuie, je demande à mon mari... Parce que chez nous, musulmans, la femme mariée doit dire à son mari où elle va. C'est dans notre religion. Si elle fait un pas devant sa porte sans que son mari le sache, c'est un péché... De tout cœur, je voudrais un Etat islamique. Notre religion a tout permis à l'homme, à la femme. Tout, tout est permis, comme dit le Coran.

Zoubida exprimait parfaitement l'amalgame abusif entre la tradition et la religion, elle mélangeait allégrement – et sans doute sans en avoir conscience – les préceptes du Coran et les coutumes transmises aveuglément de génération en génération.

Et puis les enfants défilèrent devant les caméras. Le seul absent était Nassim, dix-sept ans : il étudiait alors la théologie en Arabie Saoudite et s'il envoyait rarement des nouvelles personnelles à ses parents, il les abreuvait, en revanche, de brochures de propagande où était enseigné l'art de prier ou de jeûner selon les préceptes sacrés ! Mohammed, l'aîné, étudiant en informatique, répétait, lui, les paroles diffusées par les propagandistes du FIS. Puis apparut Fatouma, petite fille de onze ans. Elle aussi, comme les autres femmes, portait le voile noir qui déjà l'enlevait à l'enfance.

Ensuite, le père reprit la parole pour un long monologue fiévreux et verbeux. Et quand on lui posa la question de savoir si islam et politique se conjuguaient avec harmonie dans un seul pays au monde, il répondit avec fougue :

– Ils le feront ici, et si je ne le vois pas, mes fils, mes petits-fils, mes arrière-petits-fils le verront. Les gens qui gouvernent ne sont pas éternels, ils partiront. Combien de temps peuvent-ils rester ? Un siècle ? Heureusement, il y a la mort. Grâce à Dieu. Car nous on y croit, à la mort ! On y croit beaucoup.

Heureusement, cette famille n'est pas représentative de toute la société. L'islamisation ne montre pas toujours un visage aussi radical, et d'ailleurs le respect ostentatoire des règles religieuses recouvre des motivations très diverses. Le *hedjab*, par exemple, est porté par celles à qui il est imposé par la famille, par celles qui sont convaincues que c'est la volonté de Dieu, mais aussi – nous l'avons vu – par toutes celles pour qui le voile est une manière d'être tranquilles, de ne pas être ennuyées tout au long du jour par les regards, les insinuations, les paroles provocantes des hommes. Le voile impose le respect. Sous son aspect sévère, le *hedjab* dissimule aussi des filles délurées qui peuvent tranquillement faire les quatre cents coups sans craindre la rumeur ; on en trouve même qui se prostituent sous le voile !

Il y a également celles qui me disaient :

– Tu vois, c'est plus pratique que le voile blanc, il y a des manches, on n'est pas obligé de le tenir avec les mains, on a les mains libres pour faire le marché, c'est mieux...

Et puis celles encore qui n'ont pas assez d'argent pour s'habiller – c'est une réalité qu'on a tendance à oublier –, celles qui se promènent en *hedjab* tout en tenant leur petit copain par le bras, celles que l'on a vues manifester pour les femmes le visage voilé... Mille filles, mille *hedjab*.

C'est dire qu'il n'y a pas une femme algérienne musulmane type, il y a des femmes diverses qui vivent l'islam de manières différentes. Tous les musulmans n'ont pas le visage des islamistes intégristes et il serait possible en Algérie de conjuger islam avec modernité, sans violence, sans reniement. Même si, pour l'instant, « Allah est grand et Mohamed en profite », comme dit le nouvel adage !

Je suis retournée en France avec des images plein la tête. Toutes les Algériennes que j'avais pu rencontrer étaient enthousiastes, débordantes de ressources et emplies d'espoir. Ces militantes prêtes à prendre le maquis une seconde fois pour leur propre liberté m'ont donné une leçon de courage. Certes, je n'avais rencontré sans doute que les plus combatives, d'autres s'étaient dérobées à mes questions. Dans les universités, par exemple, les étudiantes voilées avaient régulièrement évité tout contact avec moi, mais je repartais heureuse. Je savais que l'Algérie n'était pas exsangue de sa vitalité, de son énergie et de sa beauté. Elle ne montrait pas le seul visage d'un intégrisme obsédant et obsédé, mais celui aussi de ces jeunes filles prêtes à se battre pour leurs droits.

Après mon retour à Paris, j'ai appris que certains articles avaient été publiés, tentant d'accréditer l'idée que j'étais revenue en Algérie pour dénigrer le pays. A une journaliste du *Moudjahid*, mon frère, pour sa part, me présentait même comme une « harkie culturelle » ! C'est que l'émission était programmée et annoncée : chacun allait évidemment se précipiter sur son poste ce soir-là !

Aujourd'hui, avec les antennes paraboliques, la télévision étrangère et sa diversité de programmes sont accessibles à tous en Algérie. C'est un phénomène à la fois enrichissant et déstabilisant. La contradiction apparaît flagrante entre le martèlement quotidien des haut-parleurs des mosquées qui dénigrent les télévisions étrangères et la vente de « paraboles » de plus en plus importante dans les villes. On peut regarder des chaînes américaines et d'autres sources d'information, ce qui rend dérisoire la censure religieuse exercée d'une manière intransigeante sur la télévision nationale, bien souvent délaissée par la jeunesse.

Après les propos acerbes tenus par mon frère dans la presse, on s'attendait à m'entendre tenir un discours sexiste et anti-algérien : mes paroles furent simplement humaines et solidaires.

J'ai reçu ensuite de nombreuses lettres d'encouragement, et un inconnu amical a publié une réponse à mon frère dans la presse : « Je ne sais pas quelle mouche vous a piqué, à traiter Djura de "harkie culturelle"... Le combat que mène Djura aujourd'hui est un combat contre tous systèmes érigés par certaines gens qui voulaient nous séparer de notre culture, de notre pays et de nos désirs. »

Je garde au fond du cœur et au fond des yeux ces femmes si courageuses et qui se sont confiées dans un élan sincère. Pour elles, je n'abandonnerai jamais mon combat. Pour elles et pour mon pays car, aujourd'hui, je considère que l'Algérie est une femme. Une femme qui a été humiliée, une femme fragile et forte. Mais une femme dont on sera fier.

Un an après ce voyage, où en est l'Algérie ?

On s'attendait à tout et surtout à la guerre civile. Devant cette démence structurée, institutionnalisée, l'armée a réagi. Au pouvoir depuis l'Indépendance, en

1962, bien résolue à ne pas céder une parcelle de son autorité, elle a placé des chars d'assaut aux endroits stratégiques, a mis en alerte ses soldats et s'est dotée d'une arme redoutable : des centaines de chiens policiers dressés à mordre. Pauvre Algérie, prise entre le fanatisme des religieux et les crocs des molosses !

Et pourtant, malgré ces rancœurs accumulées, certains de ceux qui avaient voté pour le FIS ont été soulagés de voir l'armée imposer sa loi et faire rempart contre l'hydre du fanatisme religieux. Un gouvernement contrôlé par les militaires paraissait soudain plus acceptable, moins menaçant que le pouvoir abandonné aux extrémistes islamistes. Le FIS est entré dans la clandestinité, mais cela n'empêche guère ses actions souterraines. Il essaie de s'infiltrer partout, y compris dans l'armée et au cœur des noyaux de contestation pour tenter de les récupérer au nom d'une hypothétique révolution islamique. Entre la démocratie et la République islamique de type iranien, tout est possible aujourd'hui. Chaque jour des hommes tombent en Algérie, les attentats et les crimes politiques se multiplient. Les drames trouvent leurs causes dans le champ social et économique en général, et dans le champ culturel en particulier. L'Algérie souffre d'une crise d'identité.

– Pendant cent trente ans on nous a fait répéter : "Nos ancêtres les Gaulois", aujourd'hui on nous dit : "Vous êtes arabo-islamiques", me disait dernièrement Dahbia, une jeune maman qui, déboussolée et incrédule, observe de son XIXe arrondissement parisien les soubresauts de l'Algérie.

Maintenant, une vingtaine de partis politiques côtoient trois Ligues des droits de l'homme dans un pays où l'on assassine le président, où les ministères sont remplacés par des super-ministères, où les riches sont devenus plus riches et les pauvres plus pauvres, où l'on a étouffé les contestations. Et pourtant, dans cette Algérie muselée, des foyers d'agitation sont prêts à s'embraser à la moindre étincelle ; ce sont les femmes, les jeunes, ceux qui revendiquent la démocratie et le respect de leur culture.

– L'Algérie est un beau pays, avec ou sans fusils... me disait dernièrement à Paris un chauffeur de taxi kabyle.

En cette fin de Ramadan 1993, l'économie s'écroule et la misère augmente. La viande indispensable pour la *chorba*, la soupe traditionnelle du soir qui rompt le jeûne, est vendue 250 dinars le kilo, le poivron 120 dinars. Comment manger à sa faim quand le salaire moyen mensuel est de 3 500 à 4 500 dinars, le SMIC à 2 500 dinars ?

Louisa, venue à Paris me rendre ma visite, s'inquiète :

– Comment un ouvrier peut-il nourrir sa famille quand on sait que chaque foyer compte au minimum sept ou huit enfants, et souvent davantage encore ? C'est ainsi que certains ont rejoint les rangs du FIS. Les langues ne se délient pas, mais la violence est dans les regards.

Au moment où elle me parle, les assassinats politiques se multiplient. Même en plein Ramadan les meurtres n'ont pas cessé. La trêve n'a pas été respectée, le mois de la piété et du pardon a été souillé. L'ancien ministre de l'Education est tombé sous les balles des fanatiques, puis toute la casbah d'Alger a pleuré le Dr Flissi, le médecin des pauvres, entré en politique depuis peu et qui a payé de sa vie son engagement pour la liberté. Un peu plus tard, l'attaque de la caserne de Boughezoul par les « fous de Dieu », au moment de la rupture du jeûne du Ramadan, faisait quarante et un morts dans les deux camps ; des soldats du contingent surpris au réfectoire ont été abattus par balle ou poignardés par les assaillants... Les chefs du FIS emprisonnés, le mouvement s'éparpille en petits groupes fanatiques incontrôlés qui harcèlent le pouvoir au gré de coups de main dont le but est de déstabiliser le pays afin d'apparaître, un jour prochain, en sauveurs de la nation, en protecteurs de la vraie foi.

Les formations au programme démocratique n'ont toujours pas eu la possibilité de s'imposer et demeurent minoritaires. Dans la violence qui envahit tout, le Front des forces socialistes, le Rassemblement culturel pour la démocratie, d'autres partis encore, ne parviennent pas à mener des campagnes efficaces. Le leader du RCD, le Dr Saâdi, prône en vain mais avec courage la laïcité dans un pays musulman... Quant aux intellectuels qui affichent leurs idées démocratiques, ils sont la cible des attentats intégristes.

L'Algérie d'aujourd'hui, c'est le pays de la névrose collective, de la jeunesse frustrée, c'est un cancer social, une blessure mentale, une maladie sexuelle et psychiatrique.

Bon nombre d'Algériens dénoncent avec peut-être plus de virulence encore la stagnation de la société et les problèmes qui étouffent leur pays. Certes, une conscience de plus en plus aiguë se fait jour, les critiques fusent de toutes parts, mais le legs de trente ans de politique autoritaire a non seulement ruiné l'économie du pays, mais surtout saccagé l'avenir des jeunes. On ne peut aujourd'hui s'intéresser à autre chose qu'à colmater un quotidien qui se fissure.

Durant mes dernières heures à Alger, j'ai arpenté les rues avec un malaise indescriptible : je me sentais impuissante devant le désœuvrement des adolescents, le drame des chômeurs qui pourtant recevaient l'hôte de passage avec une générosité à vous faire mal, mal de vous sentir inutile devant leur désarroi à peine perceptible tant était grande leur dignité. Avant de quitter Alger, j'ai gravé tous ces visages dans ma mémoire. Ne pas les oublier, jamais, était pour moi la seule façon de leur dire merci.

Mon retour à Paris me précipita dans une autre Algérie, celle de l'immigration, celle où les traditions sont vécues comme le dernier lien qui demeure avec le pays... Je songeais à mes frères et sœurs, à leurs comportements contradictoires, aux mariages mixtes contractés par la plupart d'entre eux alors que le mien avait été « puni », et je ne m'expliquais toujours pas leur acharnement.

Car, arrivant chez moi, je trouvais une invitation devenue rituelle qui me conviait une fois de plus au palais... de justice.

V

LE MIROIR A DEUX FACES

En étrange pays
dans mon pays lui-même.

Louis Aragon

Voûtes de pierres, dalles géométriques, murs froids, les couloirs du palais de justice sont gris et suintent l'angoisse. Seules les statues drapées de marbre émergent de ce clair-obscur comme si la vie, ici, se recroquevillait pour se figer dans un univers hors du temps. Une ronde silencieuse parcourt ces dédales enténébrés, des ombres au visage blafard et des silhouettes en robe noire s'entremêlent sans se jeter un regard.

Il est treize heures, ce jeudi 16 avril 1992. Une fois de plus, je me retrouve devant les juges à me justifier d'avoir voulu vivre ma vie, d'avoir tenté de mener mon existence en toute liberté, d'avoir tourné le dos aux pressions exercées par la tradition. Autant d'audaces que ma famille ne me pardonne pas. Depuis cinq ans, depuis le jour de l'agression, je me retrouve régulièrement devant les tribunaux. Je n'ai plus de contacts avec mes frères, avec mes sœurs, avec ma mère même, que par nos avocats interposés.

Le procès, aujourd'hui, porte sur l'effraction de la maison de campagne, dans l'Essonne, que j'habitais naguère avec mon mari. Une fois encore, j'appréhende de retrouver devant les juges mes frères et sœurs accompagnés de ma mère... Et je me prends à rêver. Elle va tourner le dos aux avocats, aux dossiers, à tout ce décorum glacé et pompeux qui fracture nos sentiments, elle va courir vers moi, me prendre dans ses bras... Mais non, rien ne se passe. Combien faudra-t-il de procès, de rancunes, d'aigreur pour que ma mère m'expulse totalement de sa vie comme dans un accouchement monstrueux et définitif ?

Je suis bouleversée. Je pleure sur mon banc en tentant vainement de cacher mes larmes. Une immense tristesse m'envahit en songeant à ce gâchis, ces déchirements, ces haines accumulés. Je cherche en moi les forces pour surmonter cette nouvelle épreuve et je songe encore à ma petite enfance dans mon village de Kabylie. Je revois les montagnes sous le ciel bleu, le soleil qui enflamme de blanc les cimes enneigées, et les champs de narcisses, houle immaculée ondulant au vent dans lesquels je courais et me perdais, minuscule point de couleur enveloppé dans sa robe aux teintes écarlates...

J'ouvre les yeux et je dévisage mes frères. A la barre se tiennent Mohand, l'aîné, et Djamel, notre agresseur. Jusqu'ici, jamais je n'avais osé lever les yeux pour poser sur eux un regard de femme libre. La soumission, la peur, l'éducation me tenaillaient encore. Maintenant, j'observe mes frères. Attentivement. Leur arrogance hautaine, jusque-là fièrement affichée, se décompose devant la sévérité d'un juge qui pose sèchement ses questions. Je découvre leur silhouette un peu lourde, les yeux papillotants de l'aîné... Je les dévisage un à un, m'arrêtant sur chaque détail de leur physionomie, comme si je les découvrais pour la première fois. Ce sont ces deux êtres-là qui ont empoisonné ma vie ? Soudain, je les vois petits. Petits dans leur conception de la vie, petits dans leurs ambitions, ils se rapetissent et se tassent, m'apparaissent comme des Lilliputiens plus à plaindre qu'à craindre. Et je sens que je m'éloigne d'eux à pas de géant.

En moi jaillit une sensation nouvelle. Quelque chose s'efface. Ma peur s'envole. La force de ma vérité explose, ma culpabilité venait donc de leur constant chantage affectif, de la mauvaise conscience à rompre le lien parental sacré pour moi et pourtant depuis longtemps distendu... Des mots tourbillonnent en rafale dans ma tête. Tout est bien terminé, fini, oublié, enterré. J'appuie sur le bouton « stop ». Stop à ma souffrance. Je fus captive, je suis libre.

Rentrée chez moi, je passai deux jours à pleurer sans pouvoir maîtriser ma peine. Des larmes sans doute nécessaires pour faire le deuil définitif de l'amour de ma famille. Et j'écrivis, j'écrivis... ma douleur se déversait sur le papier. Les mots se bousculaient, je me délivrais de ce qui m'étouffait, et cette frénésie d'écriture me laissait soulagée et sereine.

Fallait-il confier ces pages au feu de l'oubli ? Une nouvelle fois, je prenais conscience que ma souffrance n'était pas isolée, elle était celle de toutes ces femmes sur qui pesait la même chape de plomb et, à nouveau, le besoin de témoigner s'imposa.

Je retrouvais en mon cœur Setsi Fatima et la sérénité. Je pleurai encore, mais de plaisir, de joie. Le passé mourait et me libérait. Seul le présent comptait maintenant. Avec cette force nouvelle qui me donnait des ailes, des idées magiques.

*
**

Mon âme apaisée s'échappait encore vers le Djurdjura comme si, en ces instants, elle retrouvait la paix et l'insouciance de mes jeunes années. Pourquoi rester dans les ténèbres alors que s'ouvrait devant moi la porte où je pouvais m'envoler vers des cieux toujours bleus ? Mon cœur se gonflait du printemps de la vie, et j'abandonnais ma carapace de résignation pour contempler le monde avec des yeux d'enfant. Les contes merveilleux, les espaces lointains, les rêves devenaient des réalités palpables.

Je songeais à toutes les difficultés surmontées pour arriver à cette sérénité, au choc des identités qu'il avait fallu assumer. Il n'est jamais facile d'être au carrefour de deux cultures, de vivre en portant en soi deux patries dont il ne sera jamais possible de privilégier l'une ou l'autre. Pour moi, la Kabylie de mon enfance et le kabyle qui est ma langue maternelle font partie de ma personnalité de la même manière que la France où j'ai grandi, où je me suis épanouie, où j'ai trouvé des racines, et le français dans lequel je m'exprime.

Alors je me souviens de Ouardia, la Bretonne du bled. Elle me paraît être un peu mon double inversé, mon image vue dans un miroir. Je suppose qu'elle a dû se poser les mêmes questions que moi, ressentir les mêmes doutes.

Ouardia signifie « petite rose ». C'est le nom qu'a donné Mouloud à sa femme quand il l'a amenée au bled. Un nom qu'elle porte à merveille avec ses joues roses et potelées. Bien ronde, les cheveux châtains, les yeux bleus, la bouche en forme de cœur, respirant la santé et l'énergie, elle incarne pour le paysan kabyle toute la beauté du monde. Quand elle est arrivée au village, elle était moins dodue, mais le couscous et les douceurs lui ont rapidement profité. Tant mieux, c'est comme ça qu'on l'aime dans sa belle-famille.

– Je me suis installée ici avec Mouloud il y a dix ans, raconte-t-elle. Je ne connaissais pas un mot de kabyle, tout me paraissait étrange et nouveau. Maintenant, je parle couramment la langue, je sais faire le couscous, je couds moi-même mes gandouras, celles de mes belles-sœurs et de ma belle-mère. Je fais tout comme les autres femmes, je vais chercher l'eau à la fontaine dans une jarre que je porte sur la tête ! Je me sens kabyle à cent pour cent.

Ouardia la Bretonne se prénomme en réalité Jacqueline. Elle a rencontré Mouloud à Paris. Dans la grande ville grise et hostile, ces deux « immigrés », perdus dans la solitude citadine, se sont reconnus. Elle faisait des ménages, il était ouvrier ; elle vivait chez ses patrons, il demeurait dans une petite pension. Le soir et le dimanche, Jacqueline et Mouloud se retrouvaient pour reconstruire, à deux, un monde à leur mesure. Main dans la main, ils erraient dans les rues, s'attardaient dans les squares et, parfois, s'autorisaient un petit écart : une séance au cinéma. Mouloud appréciait Jacqueline pour son sérieux, son courage.

– Tu n'es pas comme les autres Françaises, lui disait-il. Toi, tu ressembles aux femmes de chez nous. Les Françaises, elles veulent toujours commander et ont les yeux qui traînent !

Jacqueline, en effet, ne regardait que son Mouloud, elle ne se faisait pas agressive ni supérieure, et elle comprenait si bien ce déracinement qui déchirait le cœur de son bien-aimé ! Leurs regards et leurs rêves se portaient ailleurs, vers la Bretagne ou vers la Kabylie, qu'importe ! Ils cherchaient tous deux à rompre ce terrible isolement qui est le lot de l'immigré. Alors, il lui demanda de venir vivre avec lui. Elle accepta et, pour se consacrer entièrement à Mouloud, elle quitta sa place. L'argent se faisait rare, bien sûr, mais Jacqueline savait accomplir des miracles, elle avait été élevée dans une famille nombreuse et plutôt pauvre, elle connaissait l'art d'apprêter les restes...

– Tu es presque mieux qu'une Kabyle ! admirait Mouloud. Et ce compliment la flattait et la faisait sourire.

Elle économisait sou par sou et, quand il le fallait, faisait quelques heures de ménage dans la journée, histoire de gagner quelques modestes billets, aussitôt glissés dans la cagnotte commune.

Jacqueline fit la connaissance des cousins de Mouloud, eux aussi établis en France. L'un d'eux conseilla aux deux jeunes gens de se marier, mais Mouloud hésitait. Il projetait déjà de rentrer en Kabylie et ses parents n'apprécieraient peut-être pas une belle-fille française ! Car là-bas, au pays, la mère avait déjà fixé son choix sur une fiancée... Tous les soirs, pourtant, dans leur petite chambre, Mouloud parlait de son village, de ses montagnes, de ses parents.

– Chez nous, on ne laisse jamais tomber les vieux, disait-il. C'est eux qui nous ont élevés, ils comptent sur nous maintenant.

Jacqueline la Bretonne apprenait ainsi à connaître, de loin, la famille de Mouloud et son pays. Plus elle l'écoutait, plus Mouloud parlait. Sans doute cela lui faisait-il du bien d'évoquer sa terre, de se confier, de retrouver par la magie des mots la chaleur et les odeurs de son village...

Si Jacqueline connaissait maintenant, par leur nom, presque tous les membres de la famille de Mouloud, jamais elle ne demandait à aller les voir. Elle craignait d'être mal reçue. Quant à sa propre famille, dispersée, elle ne la fréquentait guère, ne rendant visite que de loin en loin à ses parents pour de longs face-à-face muets. Pour elle, la Bretagne n'était plus la Bretagne, les amies d'enfance s'étaient éparpillées, les frères et sœurs étaient partis, elle retournait de moins en moins dans cette province natale.

Un jour, Mouloud lui proposa de venir passer les vacances avec lui au bled. Quel bonheur ! Il l'aimait donc assez pour la présenter aux siens ! Elle craignait bien un peu la réaction de la famille, elle appréhendait aussi de se retrouver parmi tout ce monde dont elle ne comprenait pas la langue, mais Mouloud la rassura. On prépara les bagages, et l'on fit quelques courses pour apporter des chemises, des chaussures, des tissus à la cohorte des cousines et des nièces. Pour le père, Mouloud acheta une bouteille d'anisette.

– Mais l'alcool est interdit chez vous ! s'étonna Jacqueline.

– Tu penses ! Ça lui fera plaisir, ça lui rappellera ses années passées en France ! Mais il ne faut pas montrer la bouteille aux femmes, ajouta le jeune homme sur un ton de connivence.

Quand Jacqueline arriva au village, elle fut dépaysée, bien sûr...

– Ça m'a fait tout drôle, explique-t-elle. Je ne m'attendais pas à ça. En fait, je ne m'attendais à rien. Mouloud m'avait bien montré quelques photos mais elles ne m'avaient pas éclairée suffisamment sur son pays. Toutes les femmes étaient autour de moi, elles me regardaient comme une bête curieuse...

Jacqueline était le centre des discussions de tous et Mouloud lui traduisait les commentaires :

– Elles te trouvent très belle, elles disent que tu as l'air gentille...

Bientôt, Jacqueline se retrouva seule avec les femmes. Une petite fille qui parlait français servit d'interprète et l'on but le thé... Durant un mois, Jacqueline apprit à connaître l'univers de Mouloud. Bien sûr tout n'était pas parfait, le confort était réduit à sa plus simple expression, il fallait se laver dans une bassine, faire ses besoins à l'extérieur ; la cuisine se résumait à un simple réchaud posé sur une table basse et il fallait manger à terre, sur des nattes... Mais Jacqueline aimait la nature et se sentait, ici, vivre en pleine harmonie avec la terre et les saisons. Au moment de repartir pour Paris, son cœur se serra.

Peu de temps après, Jacqueline était mariée et attendait un bébé. Ce fut un garçon que l'on prénomma Ali, comme le grand-père du papa. Une année encore et Mouloud prit la décison de retourner vivre dans son pays :

– Je suis devenue une vraie Kabyle et je ne me trouve pas malheureuse ! Je veux dire que je n'étais pas plus heureuse en France..., dit Jacqueline devenue Ouardia. Mouloud a un peu changé, il vit comme les hommes d'ici, avec ses traditions, mais il est resté gentil avec moi... Bien sûr, j'ai eu du mal à m'adapter à ma nouvelle vie, mais dans l'ensemble tout le monde m'a respectée et acceptée. Je demeure chrétienne et pourtant ils me considèrent tous comme l'une des leurs.

Moi aussi, comme Jacqueline-Ouardia, je suis entièrement d'ici, je suis entièrement de là-bas, et je refuse le choix que l'on veut parfois m'imposer. Ah, comme il est facile aux âmes simples, implantées dans leurs certitudes tranquilles, de me demander d'opter définitivement pour une partie de moi-même ! Choisissez ! Mais je ne veux renoncer ni à ma dimension berbère ni à ma réalité française. L'Algérie est pour moi la terre natale, celle des parfums, des couleurs, des chants qui m'ont bercée, des cris d'enfants, des *youyous* de femmes, des fêtes qui n'ont d'égal nulle part, des promenades à travers les champs, des courses éperdues à la rivière pour y boire l'eau fraîche, et aussi la douceur de la rosée du matin sur les figues de Barbarie, la visite des lieux saints qui ressemble à un rituel païen. La France, c'est la seconde naissance, l'éveil à la vie, à l'art, à la musique, l'épanouissement dans la liberté de création.

Alors, être de partout signifie-t-il être de nulle part ? Combien de fois me suis-je sentie trop maghrébine pour les Français, trop française pour les Maghrébins !

Qui sommes-nous, nous les enfants de l'Algérie quittée trop tôt, mais qui nous a insufflé son âme ? Qui sommes-nous, nous les enfants de la France perçue d'abord comme la terre de l'exil et qui nous a donné son savoir, sa langue et son histoire ? Des nomades de la culture, des errants de l'identité.

Pourtant, je ne me suis jamais sentie étrangère en France, ni dans la langue ni dans la manière de vivre. Mon « étrangeté », ce sont les autres qui me la renvoient. Suis-je donc si étrange ? On ne m'accepte pas toujours totalement telle que je suis. Dans la pratique de mon métier, je suis trop « typée » : je chante la Kabylie, alors on cherche parfois à me repousser dans le folklore, l'exotisme, on me réduit à l'état d'une curiosité, on me marginalise. En chantant sur scène ma vérité, en exprimant ma personnalité, je suis *ipso facto* ressentie comme différente, alors même que j'estime, pour ma part, faire partie intégrante de cette France pluriculturelle, riche et généreuse, qui donne et reçoit énormément, la France de la Polonaise Marie Curie, la France de l'Espagnol Pablo Picasso.

L'image aseptisée, banalisée, d'un être déshabillé de sa culture serait évidemment plus facile à accepter, plus rassurante, plus assimilable. Mais l'immigré n'est pas biodégradable dans l'atmosphère ambiante.

Etre étranger à perpétuité impose une remise en cause permanente. Remise en cause face à sa propre culture déstabilisée par les valeurs de la société d'accueil, remise en cause aussi face au regard de l'autre qui vous rappelle votre statut particulier. Sans cesse, il est nécessaire de se redéfinir sur tous les plans, politique, social, culturel, sexuel, émotionnel, religieux... Etre étranger signifie, secrètement ou non, avoir peur de l'avenir, porter toujours son petit baluchon dans un coin de la tête : la place qu'on vous accorde n'est jamais définitivement assurée.

Pour moi, mes deux cultures vont de soi. Elles sont une richesse. Si dilemme il y a, c'est le regard des autres qui le crée. Il vaut mieux en faire une force, mais cela implique un combat incessant avec le quotidien et certains ont cru devoir y renoncer en choisissant une troisième voie : un départ pour le Québec, l'Allemagne ou les Etats-Unis. D'autres ont opté pour le retour pur et simple au pays.

Mais dans ce dernier cas, comme en écho, la situation faite à l'émigré retourné chez lui est fort semblable à celle qu'il a connue sur la terre étrangère. Encore une fois, il se trouve rejeté parce que différent, transformé par son exil. La situation est particulièrement difficile pour les filles : tout dans leur attitude est perçu comme une provocation pour ceux qui demeurent au pays ! Même quand elles tentent de se conformer au schéma imposé, on leur confisque leur identité en leur rappelant qu'elles sont encore et toujours des émigrées... Déchirure souvent intolérable et qui pousse à boucler sa valise une nouvelle fois.

Alors, si je ne suis ni d'ici ni de là-bas, qui suis-je ? Citoyenne du monde ? C'est une réalité que je vis très fortement : les artistes ne font-ils pas partie du patrimoine universel ? Mon inspiration musicale se nourrit aussi bien de mon village natal que de toute l'Afrique, de l'Amérique, de l'Asie et de l'Europe. Je suis de France puisque j'y ai grandi, que je m'y suis mariée, que ma vie de citoyenne je l'accomplis ici, mais je ne puis faire la part de mes sentiments, leur donner une hiérarchie. Je suis d'ici et d'ailleurs, je suis des deux rives de la Méditerranée, mon cœur est aussi bien ici que là-bas. C'est justement parce que je suis concernée par ces deux réalités que je ne renonce pas au combat pour cette nouvelle identité, cette richesse que partagent, comme moi, tous les enfants d'immigrés. Ils devraient savourer comme des bonbons le miel de nos deux langues, le parfum de nos deux cultures, la saveur de notre cuisine, la beauté de ce métissage.

Certains voudraient imaginer un infranchissable fossé entre une famille maghrébine et une famille française. A la maison, certes, les deux réalités sont bien différentes, mais l'autorité paternelle, le poids de la tradition importée du Maghreb natal se dissolvent aujourd'hui lentement dans le monde extérieur. L'école, la télévision, la rue sont des maîtres incontestablement plus formateurs et plus présents que la parole familiale. Au fond de leur banlieue, le petit Maghrébin et le petit Français partagent les mêmes rêves et la même culture Mac Do.

J'ai moi-même fait l'expérience d'une fracture entre le monde vécu à l'extérieur et le milieu familial. Et je constate en parlant aux familles immigrées, en observant les enfants, que rien n'a vraiment changé : les drames et les déchirements que j'ai connus perdurent dans les cités. Le langage des parents n'est plus en adéquation avec la vie du dehors, les coutumes sont mises à mal par l'environnement, le père et la mère perdent leur rôle d'éducateurs dans un univers qui n'est pas le leur et qu'ils ne parviennent pas à appréhender. Ils sont des étrangers par les habitudes et la langue, ils vivent refermés sur eux-mêmes.

Certains parmi les enfants cultivent une passion,

comme je l'ai fait, se plongent dans un ailleurs, développent une espérance vers laquelle ils tendent, une flamme qu'ils rallument sans cesse pour que jamais elle ne s'éteigne, car alors ils mourraient avec elle. Hélas, même avec une telle résistance, même armés d'une énergie infatigable, ces êtres transplantés et fragiles sont saignés, écorchés, déchirés sans cesse entre une place qui ne serait point ici mais là-bas. La carapace qu'ils avaient tenté de se forger se fissure et le monde semble leur fermer la porte.

L'immigré est un homme ou une femme qui fait l'amour avec la solitude. C'est un mélancolique, un déprimé qui ne renvoie pas la haine à l'expéditeur mais la retourne contre lui-même. Il se sait mal-aimé, il se sent humilié. Il se replie sur son identité flageolante, se rattache à sa mémoire muette, à son moi démantelé, morcelé, il s'accroche à ses traditions. Il fait des enfants qu'il ne reconnaît pas, il est orphelin de lui-même. Quand il marche dans la rue il a l'impression d'être un fantôme, et quand on le regarde c'est pour le dévisager, repérer ses traits et la couleur de sa peau. Ce face-à-face constant avec le racisme ordinaire le retranche derrière son orgueil, son silence. Il tire un rideau, il met un voile entre lui et le monde pour se protéger des agressions et des vexations. Il tente de se rendre imperméable aux humiliations.

Devant l'inconnu, il abandonne son pouvoir aux enfants, intermédiaires entre la société et la famille, pont indispensable entre l'administration et le foyer. Ces enfants font ce que je faisais étant petite : ils signent eux-mêmes leurs bulletins scolaires, remplissent papiers et formulaires. Ils se retrouvent ainsi privés de repères familiaux et se construisent de nouveaux liens, rassurants, gratifiants. Ils inventent de nouveaux codes, créent de nouvelles solidarités dans le quartier, dans la cité.

Cela, ajouté à la misère qui trop souvent frappe les

immigrés, explique pourquoi le fléau de la délinquance touche, statistiquement, davantage les enfants de l'immigration. L'échec scolaire consécutif à l'absence de soutien au sein de la famille, le rejet dû au racisme, le mur de silence qui sépare parents et enfants, l'impérieuse envie de participer au monde de la consommation dont ils sont exclus mènent à la révolte. Et le cri de désespoir s'exprime par la délinquance.

Comment agir, alors, pour que l'adolescent ne bascule pas dans le vide ? La solution, pour certains, serait l'intégration. Mais de quelle intégration veut-on parler ? Je me prends parfois à rêver d'un monde où l'on repenserait les banlieues et leurs écoles, où l'on briserait les ghettos, où l'on offrirait des logements décents, où le faciès n'interdirait plus l'embauche. Un monde où ces jeunes pourraient se cramponner à un espoir, eux qui sont aussi étrangers à leur propre milieu familial qu'à la société environnante. Peut-être des équipes d'éducateurs capables d'offrir à la fois soutien scolaire et psychologique aideraient-elles ces enfants à retrouver l'équilibre dont ils manquent si cruellement. Cette véritable réinsertion sociale devrait se traiter selon chaque région, et j'ai même envie de dire selon chaque ghetto. Un travail immense et fécond. Car c'est cela, la véritable intégration, celle dont ont besoin les plus malheureux, les plus marginalisés. L'intégration comprise comme le calque obligatoire d'un « stéréotype français » est, elle, vouée à l'échec, et se situe à mille lieues de la France tolérante et ouverte que nous aimons.

J'ai bien conscience d'être une sorte de privilégiée. L'intégration, pour moi, c'est un peu la prose de Monsieur Jourdain : j'en ai toujours fait, même sans le savoir. Je me suis personnellement enrichie de la culture française et j'ai, à ma mesure, enrichi la France de la culture algérienne. Bien sûr, la religion de ma famille n'est pas celle de la majorité mais, par mon travail, je participe au tissu économique du pays, ma production est française et, en écrivant aussi en français, je participe au grand mouvement de la francophonie.

Malgré tout, je le sais bien, je reste différente. Une réalité dont j'ai pris conscience dès l'école maternelle. Comment aurais-je pu y échapper ? Ma mère qui venait me chercher ne parlait pas la même langue que toutes les autres mamans, elle ne s'habillait pas de la même manière... Pourtant j'ai eu la chance de grandir dans une structure scolaire qui m'a permis de m'affirmer, de comprendre mes richesses et de faire des choix essentiels.

Aujourd'hui, je suis doublement « autre » : maghrébine en France et rejetée par les miens qui ne me voient que comme un monstre hybride vomi par l'émancipation féminine. Alors je reste sur cette terre chimérique qui est la mienne, celle du combat pour toutes les libertés.

*
**

Qu'on le veuille ou non, l'islam fait aujourd'hui partie du paysage français. Il fait peur à beaucoup car son visage est mal connu. Pourtant, l'islam en France c'est aussi bien l'ouvrier de chez Renault, tel journaliste spécialiste de politique intérieure, la secrétaire en minijupe, le jeune P-DG d'une nouvelle entreprise de télématique ou une maquilleuse de France 2.

C'est dire que l'islam en France revêt des aspects bien différents. Mais quelle que soit son apparence, il est devenu réalité. Interrogeons-nous donc sur son devenir dans un pays où il est la deuxième religion après le catholicisme.

Lorsque j'étais petite, bien sûr, je ne me posais pas la question de savoir si je resterais à jamais en France ou si je repartirais un jour en Algérie. Je suivais mes parents et cela me suffisait, je savais seulement que nous étions des étrangers et que la vie était plus dure pour nous. Plus tard, avec l'adolescence, je compris que l'immigration était vécue comme un passage temporaire : tous les Maghrébins étaient venus pour travailler et se répétaient à eux-mêmes que, un jour prochain, ils s'en retourneraient chez eux. Et ce retour ne me faisait pas peur, au contraire. Je me disais : l'Algérie est un pays jeune, elle a besoin de moi ! Evidemment, je ne savais pas vraiment ce qu'était l'Algérie, les brefs séjours que je pouvais faire dans mon village ne me permettaient pas d'évaluer la situation, ce pays restait dans mon esprit une nébuleuse inconnue. Mais c'était un espoir aussi. Etrangère dans la société française, je pensais me retrouver un jour dans un chez-moi où je pourrais me rendre utile...

Et puis ces idées se sont modifiées, elles ont changé de cap, l'immigration est devenue permanente, nos parents ont abandonné par la force des choses toute volonté de retour. Le temps avait passé. Nous avions grandi ici, il n'y avait pas de travail là-bas, les illusions longtemps entretenues s'effilochaient. Il fallut donc s'intégrer à la vie en France. Cela a été plus facile pour nous, les jeunes : nous avions été formés à l'école française et nous connaissions les règles d'une société qui, pour nos parents, demeurait à jamais *terra incognita*. Encore fallait-il vivre nos deux cultures, accepter le fait d'être d'ici et de là-bas, un peu de France et un peu d'Algérie, un peu dans le cœur et un peu dans la tête !

Même les enfants d'immigrés nés ici connaissent cette difficulté, et se trouvent confrontés au racisme : ils sont français, mais ils sont perçus comme étrangers. Et la religion catalyse toutes les différences.

On se souvient de « l'affaire du foulard » à Creil. Cet épisode a mobilisé les médias durant plusieurs semaines et la France entière s'est passionnée pour savoir s'il fallait autoriser deux petites musulmanes à se rendre à l'école laïque le foulard sur la tête comme elles le voulaient, ou comme le voulaient leurs parents. En fin de compte, cette polémique a permis à des groupuscules proches du Front islamique du salut, inconnus jusque-là, d'émerger à travers radios et télévisions, de se montrer au grand jour et de prendre consistance auprès de la population musulmane. Les femmes, elles, ont été les grandes absentes de ce débat public, mais dans les appartements des cités elles se posaient pour la première fois des questions. Fallait-il ou non porter le foulard ? Quelques-unes se sont mises à l'arborer en signe de contestation, pensant que l'école républicaine portait atteinte à leur éthique religieuse ; d'autres l'ont abandonné à ce moment-là, ne se reconnaissant plus dans les fanatiques qui voulaient soudainement imposer cette forme de *hedjab* à toutes les filles. Finalement, « l'affaire du foulard » aura été un malentendu de bout en bout, une histoire creuse et sans suite qui a permis aux extrémistes de tous bords de prendre la parole pour distiller le poison de l'intolérance.

Si la loi coranique a été ajustée au cours des siècles, c'est bien qu'elle possède en elle les moyens de se plier au changement. On doit donc penser que l'islam a la faculté de s'adapter non seulement à la vie moderne mais aussi à ses fidèles, qui vivent des réalités bien différentes selon les pays où ils sont implantés.

Le phénomène de l'abrogation qui consistait à substituer un verset à un autre chaque fois qu'une réalité nouvelle s'imposait démontre à l'évidence que l'islam était, à l'origine, une religion d'action et de changement. C'est grâce à cette faculté d'adaptation que les premiers musulmans, sans cesse tournés vers l'avenir, ont pu construire une grande civilisation à l'échelle du monde.

Lorsque la religion a stagné par la faute des hommes, la société s'est repliée sur elle-même et a perdu sa dimension universelle. Certains aujourd'hui revendiquent cet âge d'or et dissèquent minutieusement le Livre Sacré pour en retrouver les fondements. Qu'ils se souviennent alors des paroles d'Umar ibn al-Khattâb, l'Emir des croyants, le successeur du Prophète : « C'est à nous que le Coran a été révélé, et chaque fois que nous lisons un verset nous savons ce qu'il y a derrière sa révélation. Mais après nous viendront des peuples qui continueront de lire ces versets alors qu'ils en auront oublié le contexte. Cela provoquera des divergences dans les lectures qui dégénéreront en querelles intestines. »

Aujourd'hui, il convient d'être réalistes. Prenons ce qu'il y a de meilleur dans le message religieux et tournons-nous vers demain. Or l'avenir appartient à la complémentarité des sexes, à la femme debout au côté de l'homme. Toutes les religions que l'on dit révélées et la plupart des sociétés se sont ingéniées à freiner l'émancipation de la femme : son lieu, son rôle et son statut ont presque toujours été ceux de l'ombre du mari, de la servante fidèle. La libération féminine est une notion toute jeune dans l'histoire de l'humanité et il faut l'aborder avec un regard neuf.

Quelques tentatives, toujours avortées, ont pourtant été menées dans plusieurs pays musulmans. Dès 1917, sous la pression de mouvements féministes (déjà !), l'Egypte se dotait d'un *Code de la famille* qui venait assouplir un peu la *Charia*, la loi musulmane, et instaurer la monogamie sous les cris d'orfraie de tous les islamistes purs et durs. Ces règles ne trouvèrent guère d'application puisque, en 1979, le président Sadate dut à nouveau déclarer la « guerre à la polygamie » et en limiter l'usage par un décret-loi portant le nom de « loi Jihane », du nom de son épouse. Mais l'histoire parfois recule, et la loi Jihane fut, hélas, annulée en 1985 par la Haute Cour constitutionnelle.

De tels codes ont été adoptés dans la majorité des Etats islamiques. En Tunisie, le président Bourguiba n'a pas hésité à comparer le voile à « un linceul noir », la répudiation a été interdite, le mariage et le divorce sont devenus des actes civils. Au Maroc, en revanche, la loi ne s'éloigne pas dans ses grandes lignes des règles coraniques ; cependant, si la polygamie n'y est pas proscrite formellement, la femme peut en interdire l'application en le stipulant dans son contrat de mariage, ce qui est également le cas en Egypte et au Liban. En Algérie, un *Code de la famille* a été adopté en 1984 seulement, après avoir été annoncé et promis durant plus de vingt ans ! La promulgation de ce code fut cause de manifestations de femmes mécontentes qui estimaient que les règles nouvelles n'instituaient pas suffisamment l'égalité réclamée. Elles ne furent bien sûr pas entendues. Dans cette législation, la polygamie n'est pas interdite mais aménagée. Un nouveau mariage ne peut désormais se faire sans que le mari en informe les autres épouses, et celles-ci peuvent demander le divorce si elles s'estiment lésées par cette union supplémentaire.

Il n'empêche que ces codes, la plupart du temps, institutionnalisent la mise sous tutelle de la femme, et la représentation patriarcale de la famille où seule la filiation par les hommes est reconnue. De ces lois découle toute la vie de la fillette, de la jeune fille et de la femme : la sanctification de la virginité, les mariages précoces, le choix du fiancé si souvent imposé, l'interdiction d'épouser un non-musulman, tout est aujourd'hui justifié par des textes habillés d'une forme juridique.

Mais comme rien n'est simple, la femme, statutairement inférieure, a quand même le droit de vote dans la plupart des pays islamiques : depuis 1949 en Syrie, depuis 1956 en Egypte, depuis 1960 en Tunisie et depuis l'Indépendance, en 1962, pour ce qui concerne l'Algérie. Ces femmes qui sont soumises au mari dans tous les domaines de la vie courante, exposées à la répudiation, cantonnées à la cuisine et limitées à la grossesse peuvent ainsi devenir ministres ou députés. Ce fut le cas au Pakistan lorsque Benazir Butho remporta les élections en 1988, et le monde n'a pas compris comment un pays islamique pouvait mettre une femme à sa tête. C'est que les pays musulmans sont en pleine contradiction, partagés entre l'attirance vers une mutation moderne et une crispation autour des valeurs ancestrales. Ce sont ces luttes qui déstabilisent aujourd'hui l'Egypte et l'Algérie – entre autres –, car les tenants d'un islam replié sur lui-même tentent désespérément de s'y imposer par la terreur.

Si l'islam s'affirme comme une force politique dans de nombreuses nations musulmanes, c'est qu'en cette fin de XXe siècle on assiste à l'effondrement des grandes idéologies. Les peuples de ces pays n'ont pas de modèle positif auquel se référer et choisissent comme ultime recours cet islam qui leur permettrait de retrouver leur identité perdue dans les méandres du colonialisme. Dans ce programme, la lutte des femmes pour leur émancipation est occultée. La femme doit simplement participer, avec l'homme, au grand mouvement libérateur. Porter le voile pour les Iraniennes fut, au moment de la révolte contre le shah, une manière de défier l'impérialisme. Nombre d'entre elles sont aujourd'hui déçues par le régime de Téhéran et vivent avec amertume ce qu'elles considèrent comme une trahison. L'ayatollah Khomeiny leur avait promis, dans des discours enflammés, une révolution libératrice. Elles n'ont connu que le repliement frileux sur des valeurs anciennes, l'intolérance élevée au rang de dogme, la contrainte.

Malgré la grandeur du message islamique, tous les pays musulmans considèrent la société comme l'affaire exclusive des hommes, et les femmes sont perçues comme des sources de désordre. L'homme musulman paraît terrorisé par l'idée d'une femme libre, tenant entre ses mains son destin politique, social et sexuel. Est-ce une réminiscence inconsciente et collective de la crainte inspirée par les guerrières et les rebelles du passé ? Là aussi, la littérature est parfois en contradiction avec le sacré. La religion, par l'intermédiaire de Mahomet, nous enseigne que le paradis est sous les pieds des mères. De nombreux contes populaires, en revanche, décrivent les femmes comme des ogresses, des mangeuses d'hommes, des dévoreuses d'enfants. La peur de la femme ne serait-elle qu'une soif de paix face à cette représentation psychique de la femme-chaos ? Il est urgent alors de troubler les eaux tranquilles de l'ordre établi pour permettre à la femme d'occuper sa juste place autant à l'intérieur qu'à l'extérieur de son foyer.

Un jour, une musulmane qui faisait de l'islam une règle de vie m'a dit fièrement, pour mettre en avant le rôle égalitaire de la foi :

– Ce qui est interdit à la femme est aussi interdit à l'homme.

– C'est juste, mais ce qui est permis à l'homme ne l'est pas forcément à la femme, ce qui change tout ! lui répondis-je.

Comment construire une société juste et équitable en opprimant la moitié de la population ? Les femmes des pays musulmans aujourd'hui ne savent plus quel rôle leur réserve l'Etat qui les dirige. Seraient-elles les victimes d'un patriarcat exacerbé et renforcé par des interprétations coraniques qui, au fil des siècles, les aurait reniées et infériorisées ? Sont-elles les héritières d'Aïcha, la femme du Prophète qui tint haut la bannière de la victoire ?

Elles ne peuvent compter que sur leur propre vigilance et l'âpreté de leur lutte.

Si aujourd'hui l'intégrisme fait peur, l'islam de mon enfance était bien dénué de ces excès. Lorsque je songe à la religion comme nous la vivions, je revois le retour des pèlerins partis à La Mecque et que nous allions accueillir en faisant autour d'eux des rondes joyeuses. J'entends encore les moqueries, je vois toujours les sourires en catimini de toutes les dames du village devant un voisin qui s'obstinait à voiler sa femme passé les limites de notre commune, comme s'il était en territoire étranger ! L'islam de mon enfance, c'est ma grand-mère Fatima qui chassait les poules venues l'interrompre dans sa prière ; les insultes rageuses lancées à toutes les gallinacées caquetantes de la terre déclenchaient chez les enfants que nous étions d'inextinguibles fous rires.

Oui, l'islam de mon enfance était celui de Setsi Fatima. Elle m'a appris à aimer Dieu en me racontant de belles histoires suivies de pieuses recommandations :

– Quand un mendiant ou une mendiante vient demander l'aumône, il faut toujours lui donner quelque chose car c'est un envoyé de Dieu qui vient te prescrire une bonne action. Ainsi tu seras récompensée et, plus tard, tu iras au paradis.

Le paradis, elle m'en faisait de longues descriptions... Là-haut, disait-elle, il y a un arbre immense pourvu de quatre branches sous lesquelles passent quatre fleuves, et l'eau de ces fleuves s'appelle l'eau du paradis. Tous les jours, elle prend un goût différent, un jour elle est miel, le lendemain lait, un autre jour elle a la saveur d'un fruit mûr. Dès que l'on en boit, on s'envole pour mille ans et l'on traverse des montagnes faites de musc et de pierres odorantes, les nuages sont des perles et à chaque perle une très belle femme est accrochée avec, entre ses mains, un bol d'une nourriture délicieuse et des fruits gonflés de suc... Et ces femmes nous emmènent dans un château magnifique où des tapis, des coussins, des lits somptueux nous attendent. Au paradis, toutes les femmes sont à nouveau belles et jeunes ; ceux qui se sont aimés se retrouvent et sont servis pour l'éternité par des anges au corps de safran et aux cheveux de soie. Au paradis, il y a huit portes qui conduisent à huit maisons et huit jardins. La première maison est faite de perles blanches, la deuxième de rubis rouges, la troisième d'émeraudes vertes et les autres de corail rose, d'argent étincelant, d'or jaune, d'or rouge et de diamants...

Mais n'entreront au paradis que ceux qui auront accompli le bien sur la terre, précisait ma grand-mère, et elle ajoutait :

– Dieu est beauté, et il aime la beauté.

Voici comment, en m'enseignant un islam poétique et charitable, ma grand-mère m'a appris à faire le bien, à aimer Dieu et son Prophète et à voir la beauté en toutes choses.

Avec tous les vrais croyants, elle prêchait pour la tolérance et disait que ceux qui exercent la violence la verront se retourner contre eux. Les étrangers, les purs, les femmes, les enfants sont sous la protection de Dieu, et Dieu seul est capable de les juger et d'exercer sur eux son courroux. L'islam a toujours fait preuve de mansuétude, même à l'égard des châtiments. Quand on le lit bien, on s'aperçoit que la plupart de ses peines sont soumises à tant de conditions qu'il est pratiquement impossible de les appliquer.

Ainsi l'on raconte que sous le règne d'un calife, une femme qui affirmait elle-même avoir commis l'adultère vit son châtiment annulé sous prétexte qu'elle ne mesurait pas la gravité de ses paroles... D'autre part, pour que le crime d'adultère fût reconnu, il était nécessaire de trouver au moins quatre témoins capables de jurer avoir vu, de leurs yeux, la fornication pécheresse... Quant au voleur, pour être châtié il devait avoir commis sa mauvaise action en cachette, dans un endroit bien gardé ; le coupable ne devait pas s'être trouvé en état de nécessité, et s'il s'était repenti avant son arrestation, la peine se trouvait annulée. Ainsi était la loi, au temps du Prophète.

J'ai pu me rendre compte qu'en Kabylie, pour certains, la croyance en Dieu ne passait ni par une connaissance véritablement approfondie des textes sacrés, ni même par la prière. Au temps de ma grand-mère, les Kabyles, bien que musulmans fervents, étaient plus attachés à vénérer les saints de leurs villages et à observer des coutumes locales venues d'autres traditions. On célèbre encore, dans ces régions, « la fiancée de la pluie », une fête païenne qui fait la joie des enfants : elle consiste à parcourir tout le village en brandissant une poupée de chiffon et en chantant un hymne joyeux à la pluie !

Quant à l'islam tel que je le vois vivre en France, aux yeux du plus grand nombre des immigrés être musulman représente surtout une identité culturelle, la réelle observance religieuse ayant peu de consistance. Cette culture, aussi floue soit-elle, permet tout de même à la majorité d'entre eux, et à leurs enfants, de ne pas sombrer totalement dans le néant identitaire qui guette l'étranger dont les repères sont restés au pays. Cet islam de surface permet de s'accrocher à une appartenance, à un groupe, avec ses rites, son calendrier rémanent et rassurant, la défense de ses droits aussi par les protestations contre les crimes racistes et autres bavures policières. Cette nécessité de s'affirmer à l'intérieur d'une communauté se manifeste apparemment davantage chez les jeunes gens que chez les jeunes filles. Peut-être parce que les femmes doivent se battre aussi sur le front de la tradition pour se retrouver elles-mêmes, se construire et s'épanouir. Et sans doute sont-elles, par ailleurs, moins exposées au racisme meurtrier. Elles s'adaptent alors plus facilement, plus naturellement, à la société occidentale qui leur propose un modèle séduisant. Certaines, en rejetant les coutumes qui font d'elles des êtres inférieurs, ont tendance à rompre avec la religion, confondant dans un même refus le message de Mahomet et les traditions apparues plus tardivement. Un islam revenu à ses sources, exprimant la tolérance qui est son essence, plus ouvert au monde moderne, permettrait à tous de comprendre que la foi peut être nettoyée des scories des traditions, sans qu'on ait à renier ses principes fondateurs et fondamentaux.

Selon certaines statistiques, quatre pour cent seulement des musulmans de France se plient réellement aux rites, les autres vivant un islam tranquille et pantouflard, sans pratique religieuse, qui respecte néanmoins les grandes fêtes traditionnelles.

Cet islam-là, on le connaît dans l'Hexagone depuis que l'immigration existe, et il n'a jamais fait couler d'encre. Il se fond tout naturellement au pays d'accueil, sans heurts, sans bruit. Celui dont on parle depuis quelques années ici, celui de la terreur et de la violence, celui-là fait le plus grand tort à la communauté musulmane et s'éloigne résolument de l'islam des origines. Les immigrés ne sont pas dupes, ils savent pertinemment où se trouve la réelle fidélité, et c'est pourquoi, pour l'instant, les mouvements intégristes n'ont pu se développer dans leurs rangs. Ils demeurent un épiphénomène limité à quelques mosquées. Les Français s'en sont bien rendu compte au moment de la guerre du Golfe, en 1991 : les journalistes catastrophistes et les clairvoyants analystes de politique intérieure craignaient, annonçaient même, d'immenses manifestations de musulmans français, un débordement de coranistes en colère, une vague d'intégristes déboulant sur le pays, Barbès retranchée derrière les piliers du métro aérien comme la garde de Saddam Hussein derrière les dunes du désert... Malgré ces prédictions cataclysmiques, rien n'a bougé. Les musulmans français, citoyens responsables, ont fait comme tout le monde : ils ont collé l'oreille sur France-Info.

L'islam peut être aussi une chance et une ouverture pour la France, lui permettant de jouer un rôle positif et humain en posant un trait d'union entre l'Orient et l'Occident. Aujourd'hui, dit-on, dix-huit millions des Français sont des migrants de la première, de la deuxième ou de la troisième génération... C'est assez dire que le pays s'est construit sur des populations venues d'ailleurs.

Alors, pourquoi le slogan si souvent entendu ne prendrait-il pas un jour tout son sens et toute sa force : l'islam est une chance pour la France, la France est une chance pour l'islam ?

VI

DEMAIN L'ESPOIR

*Ne mettez pas au compte de Dieu
ce qui est le fait des hommes.*

Sagesse populaire

Ma grand-mère répétait, comme on le dit en Islam :

– Le cœur du croyant est le trône de Dieu.

Mais ici le cœur n'est pas comme en Occident le siège des sentiments, il est celui de la pensée et de l'esprit. Parce qu'il est le centre vital de l'être humain, on le considère comme le symbole de la présence divine, et en cela il est l'essence même de l'organe spirituel.

Si Dieu est dans le cœur des hommes, ce qui les unit, c'est l'amour. L'amour est en islam l'émerveillement de Dieu et la sexualité est son œuvre. « Coïtez et procréez », ordonna le Prophète. La fonction sexuelle est une fonction sacrée, et c'est sur elle que repose l'union des sexes. La sexualité, c'est la vie et la création. Accepter la sexualité, c'est reconnaître la puissance de Dieu, dont le dessein était de faire de toute chose un couple : « De toute chose nous avons extrait un couple », dit le Coran.

L'œuvre de chair est non seulement licite mais elle est obligation, car elle est conforme à la volonté de Dieu.

« L'homme en se mariant accomplit la moitié de son devoir religieux, tandis que le célibataire n'ira pas au paradis et sa prière sur Terre vaudra soixante-dix fois moins que celle du croyant marié », enseigne-t-on. L'accouplement est la clé de l'existence islamique. C'est pourquoi le célibat est interdit, chaque fidèle ayant même le devoir de marier son prochain. Accomplir l'acte sexuel est une manière de vénérer Dieu, aussi la sexualité est-elle au centre de la religion musulmane ainsi que toutes les voluptés qui en découlent et font plaisir à Dieu : « Elles (les femmes) sont un vêtement pour vous et vous êtes un vêtement pour elles... Cohabitez avec elles et recherchez ce qu'Allah a prescrit pour vous. »

Donc point de culpabilité, au contraire : l'acte sexuel est sublimé. Il occupe dans l'islam une place primordiale. Seulement cette tension érotique, si grande chez les musulmans, n'a fait qu'accentuer l'appréhension que les hommes ont du corps de la femme, de son vagin qu'ils comparent à un volcan. « Le sourire de la vie », c'est le sexe féminin sur la bouche du volcan, et ce feu sacré peut entrer en éruption à tout moment. C'est une source d'énergie effroyable que l'homme doit absolument canaliser.

Ce n'est là qu'une interprétation humaine, mais qui a accentué le clivage entre les deux sexes. Et cette différence est devenue tellement importante qu'elle s'est muée en frontière naturelle.

Des lois sont venues ensuite rendre cette frontière palpable, quotidienne. Encore faut-il que ces lois évoluent et intègrent le monde moderne. La femme qui subit cette frontière et ces lois est au centre de ce grand débat. Il n'est pas interdit d'espérer que l'islam, afin de retrouver le rayonnement qui fut le sien, renoue avec le sens des innovations comme le firent plusieurs disciples de Mahomet. Ainsi on a pu légitimer l'usage de l'imprimerie, autoriser le café et le tabac, pourtant proscrits par le sultan ottoman Mourad IV au XVIIe siècle de l'ère chrétienne. Plus tard, on autorisa la photographie en atténuant la prohibition qui frappait les images. Adapté de cette manière, le Livre renfermait des trésors de connaissance et de sagesse sur la modernité. Les modernistes de la *Ouma* tournèrent à leur avantage des textes dans lesquels ils trouvèrent la permission et la *baraka* d'Allah.

C'est peut-être en France que jaillira cette mutation nécessaire de l'islam. En France où des générations nouvelles apprennent à la fois à rester fidèles à leurs origines et à vivre avec l'autre dans l'univers ambiant. Cette évolution sera déterminante pour la femme, qui ne veut plus seulement se cantonner dans des rôles bien déterminés : transmettre la culture, la tradition, et donner la vie. Elle veut aussi recevoir sans être la victime désignée de tous les tabous. Sous les pas de la revendication, la femme maghrébine suit son chemin de liberté. Après la lutte ardue pour investir le monde du travail et conquérir l'espace extérieur, chasse gardée du mâle, elle veut aussi s'approprier sa vérité.

Cela signifie que son corps doit lui appartenir, elle refuse le contrôle, l'humiliation, la souffrance, la terreur. Cette valeur-virginité qui l'emprisonne jusque dans son plaisir ne doit plus être son seul passeport pour le respect. Elle ne consent plus à ce statut d'être humain chosifié par l'homme, bafoué dans son honneur de femme.

Dans ces conditions, on ne s'étonnera pas de découvrir aujourd'hui des femmes qui veulent vivre pleinement leur sexualité et partager sans concession les plaisirs du corps. Cette prise de conscience, cette révolte, grondent en silence, même chez celles qui demeurent en apparence soumises.

Voici pourquoi la révolte de la femme musulmane se place d'abord sur le terrain de la sexualité. Bien sûr, ce mot même de sexualité fait peur au monde arabe et renvoie aux débordements occidentaux. En ce sens, l'asservissement de la femme est pour le monde musulman la meilleure « protection » contre l'influence – considérée comme pernicieuse – d'un univers fait de liberté vu à travers le prisme déformant de ses excès.

La sexualité occidentale, en effet, n'est jamais un modèle pour les pays musulmans. Les pays arabes assènent continuellement des clichés sur les femmes « libérées » dont la vie serait faite de libertinage, de dévergondage, d'amours multiples, de nu affiché au nom de la publicité, de pornographie étalée, de drogue même. Mais il leur faut quand même chercher d'autres systèmes de valeurs et admettre que les jeunes en ont assez de cette société figée, de ces archaïsmes qui empêchent d'avancer, et pas uniquement sur le plan amoureux.

Les pays musulmans ne sont pas seuls à vivre cette crise : le monde entier, dans toutes les cultures, court désespérément après une nouvelle éthique de vie. Les errements des pays musulmans ne sont, en ce sens, que l'épiphénomène d'un mouvement mondial. Partout on paraît tâtonner dans la nuit en quête d'une vérité salvatrice : l'intégrisme n'est pas une exclusivité islamique, le développement effarant des sectes aux philosophies simplistes et destructrices vient combler le manque d'idéal dont souffre notre planète. A l'encontre de ces repliements sur des morales prédigérées, le débordement d'érotisme commercial, de sexes exhibés, d'amours tarifées prend la place du sentiment, et là on tombe dans une autre sorte d'excès. Le philosophe Vladimir Jankélévitch a parfaitement stigmatisé ce phénomène : « N'en doutez pas, l'érotisme accablant, suffocant, où nous sommes plongés et qui sert comme l'automobile, les vacances, les bistrots, etc., à abêtir le genre humain, cet érotisme n'est ni une cause, ni une conséquence de la sécheresse contemporaine, il est cette sécheresse même. Là où manquent la joie, la sincérité, la conviction passionnée, la spontanéité du cœur, il y a place pour les industriels de l'érotisme. Erotisme et violence sont les deux alibis d'une époque foncièrement privée d'amour et qui trouve dans l'échauffement sexuel je ne sais quelle compensation à son incurable sécheresse. »

La sexualité occidentale est bien souvent un miroir aux alouettes, en effet. Croire que la femme musulmane trouvera miraculeusement sa place lorsque l'Islam aura copié ce modèle est évidemment un leurre. Ici aussi, la femme se débat dans des contradictions difficiles à assumer. Même sous le climat de la douce France, qu'est la femme hors du mariage ? Qu'est la femme sans enfants ? Qu'est la femme sans famille ?

Dans cette partie du monde, me direz-vous, la femme a la possibilité de travailler, elle a lentement occupé tous les secteurs de l'économie, on la voit catcheuse, camionneuse ou avocate. Mais même dans le cas où elle s'investit dans une vie professionnelle valorisante, il lui faut de toute manière assumer ses devoirs d'épouse, de mère, de gardienne du foyer, au même titre que la femme arabe, sauf qu'elle a l'impression d'être plus libre car elle n'est ni voilée ni soumise. Mais ne dévalorise-t-on pas son image quand elle est entièrement déshabillée ? Ne piétine-t-on pas son corps en le vulgarisant sur des images publicitaires ? Et si elle n'est pas recluse, c'est parce qu'on a eu besoin d'elle économiquement, avant la crise et le chômage. Aujourd'hui le langage se modifie et l'on se prend à vanter les mérites de la femme entièrement vouée à sa famille !

Pour ouvrir l'avenir et pour faire évoluer un tant soit peu nos sociétés, certains se préoccupent des relations de l'homme et de la femme. Ils se penchent, calculette en main et l'œil collé aux lignes bleues des ordinateurs, sur l'identité féminine et sur l'identité masculine. Chaque évolution, chaque frémissement est noté, brandi comme une découverte, publié dans les magazines. Les jeunes, eux, prennent conscience de l'héritage lourd et encombrant légué par des générations qui n'ont pas su dépatouiller l'éternelle question des rapports entre les sexes, laquelle, depuis Adam et Eve, n'a pas vraiment été résolue. Eux aussi ont besoin de faire le ménage et de voir plus clair dans ce que sera leur monde. Certains pensent trouver la solution en faisant un pas en arrière, ils reviennent allégrement à des valeurs du passé, tentent de faire revivre l'amour romantique ou un amour fait d'une réelle communion et du respect de l'autre.

En fait, le garçon ou la fille, à quelque milieu qu'ils appartiennent, ne demandent rien d'autre que de s'aimer. En ce qui concerne la femme, elle ne veut pas être l'objet du besoin de l'homme, elle veut être la source de son désir et de son amour, pas une chimère. Il est vrai que les sociétés génèrent les hommes et les femmes qu'elles méritent et dont elles ont besoin, que les mères transmettent à leurs filles, inconsciemment ou non, une manière d'être femme qui répond au modèle exigé par la société. Selon le pays, la religion, la coutume, il y a toujours un type de femme idéale, et la femme s'appliquera fidèlement à correspondre à ces canons de beauté et de comportement. A ce jeu, on ne sait plus très bien qui domine l'autre, la femme croit être la plus forte par la ruse, et en sachant plaire à l'homme elle s'imaginera pouvoir tout obtenir de lui ; quant à l'homme, une fois les assouvissements sexuels programmés et accomplis, il s'imaginera triompher. Qui a perdu, qui a gagné ?

On s'aperçoit qu'hommes et femmes sont emmurés dans des structures sociales, des habitudes et des idéologies qui sont des univers clos et qui les éloignent les uns des autres, malgré les apparences, les étouffant chacun dans sa sphère. Les univers si cloisonnés et hermétiques des hommes et des femmes et les mariages arrangés propres à la société islamique ressemblent étrangement au monde de solitude que l'on peut connaître sous nos latitudes. Il suffit de voir à quelle allure se développe le marché de l'amour à travers les agences matrimoniales, les annonces du courrier du cœur désormais dans presque tous les journaux, et les minitels plus ou moins roses.

Ce comportement coïncide avec l'image à la fois repoussante et attirante de la femme que réclame l'homme, une image à laquelle la femme participe pour lui plaire mais qu'il enferme dans un univers sexuel, affectif, économique et politique où il est le seul décideur. La femme n'est pas autonome, elle ne s'appartient pas. En fait, elle appartient à la société, aux Etats qui la modèlent en fonction de leurs intérêts. Ce en quoi on peut dire qu'elle est soumise, dans le monde entier ! Tout dans le patriarcat est fait pour soumettre un sexe à l'autre. Chez les uns cela est proclamé ouvertement, sans ambiguïté, comme en Algérie, chez les autres on entourera cela de mystère, le fameux mystère féminin si cher aux hommes... et aux femmes par procuration. Le mystère féminin est partout le même, on change seulement l'image de surface, les femmes tournent en rond dans le cercle où elles sont enfermées : être ou ne pas être femme, *that is the question...* Mais quelle femme ? Celle que la cellule conjugo-familiale emprisonne derrière le voile de la mariée ? Celle dont l'unique destin est la maternité ? La femme mythique des magazines féminins revue et corrigée par l'œil spécialiste des photographes et des ordinateurs ? Celle qui n'existe que par rapport à l'homme ? Celle qui attire, fascine tout en faisant peur ? L'esclave de son maître, l'homme-mari ? Celle qui par nature est faible et fragile ? Celle de la politique du mâle ?

On le voit, sous des formes et à des degrés divers, aucune société n'accorde à la femme sa véritable place aux côtés de l'homme. Trop voilée ici, trop dénudée là, elle est toujours un pion à manipuler selon les courants. C'est pourquoi les véritables changements dont toutes les sociétés ont besoin émaneront des horizons féminins. L'aube de la tolérance ici, la chute des régimes corrompus là-bas, le dépouillement des idéologies d'exclusion partout : ces bouleversements des mentalités seront l'œuvre de celles que l'on a toujours voulu tenir à l'écart de l'Histoire.

Le XXIe siècle sera féminin ou il ne sera pas. C'est par la femme que pourra s'ouvrir le dialogue, dialogue à l'intérieur du couple d'abord, dialogue également entre les communautés, entre les cultures, entre les religions. Nous sommes toutes des Shéhérazade, ou des Kahina, notre nouveau combat nous le menons contre les frontières culturelles qui séparent et divisent les sociétés humaines. Les échanges commerciaux connaissent de moins en moins de barrières entre les Etats, réclamons aussi la libre circulation des échanges amoureux, le marché commun des métissages culturels !

Ce que l'on appelle le mariage « mixte » fait peur. On nous abreuve d'exemples malheureux mais on tait les réussites, on reste discret sur ceux qui ont trouvé le bonheur et l'harmonie dans la richesse de deux cultures, dans l'union d'un amour sans frontières. Il est certes plus difficile de choisir un conjoint dont les racines et le vécu sont différents des siens. Autrefois, un adage du terroir français préconisait même : « Marie-toi dans ton village, si possible dans ta rue. » Aujourd'hui, bien sûr, le village s'est étendu aux dimensions du pays, de la religion ou de l'ethnie, mais le principe demeure. Pourquoi ? Parce qu'il est plus aisé, sans doute, de vivre avec un conjoint au passé semblable. Le choix du mariage mixte, enrichissant et créateur, parfois risqué mais toujours passionnant, c'est aussi le refus du confort pantouflard, l'abandon définitif des charentaises de l'esprit. Les étapes de la vie de couple – les enfants, les crises inévitables, la lente découverte de l'autre – sont rendues plus complexes lorsque le compagnon répond à des valeurs inconnues. Ce long apprentissage nous enseigne que chacun porte une valeur en soi et qu'aucune culture n'est meilleure que l'autre ; la tolérance devient une pratique quotidienne au niveau individuel comme elle devrait l'être au niveau de la société. Il faut alors sans cesse trouver des solutions originales, inventer des réponses, maintenir un équilibre toujours fragile. Le mariage mixte est le lieu de tous les conflits et de tous les dialogues, c'est l'affrontement des cultures, le choc des éducations, le carambolage des inconscients.

En ce qui me concerne, j'ai vécu ce melting-pot culturel avant même d'épouser un Français. Comme pour tous les enfants d'immigrés, il a surgi en moi au moment de l'adolescence, à cette époque de la vie où l'on remet tout en question et où l'on se projette dans l'avenir. Mon choix délibéré était alors déjà de me situer au carrefour de deux cultures, de deux traditions, de deux pays, de deux mondes. Je l'ai exprimé ensuite à chaque instant, sous forme de rejet, de révolte, de recherche d'identité, d'épanouissement aussi.

Le mariage mixte vient alors en aboutissement d'une

quête menée depuis longtemps, et ces unions sont porteuses d'espoir. Dans une remise en cause permanente, un renouvellement constant, elles sont indéniablement une richesse pour la société.

Au sein d'un monde en convulsion où chacun s'accroche désespérément à ses chaînes religieuses, culturelles ou sociales, les enfants de ces couples où s'entremêlent coutumes et origines diverses apparaissent comme des angelots rieurs qui nous prennent par la main pour nous conduire vers un avenir apaisé. Mais auparavant, les peuples opprimés devront retrouver la dignité de leur culture afin de pouvoir, un jour, mieux s'en échapper, sans contrainte, sans douleur, dans l'harmonie et dans l'amour de l'autre. Les affrontements ethniques, la crise des pays de l'Est, les *fatouah* criminelles et les nouveaux catéchismes ne sont-ils qu'une phase intermédiaire, un ultime soubresaut ravageur des vieilles politiques ? Cette fin de XXe siècle serait-elle le temps du métissage en voie de développement ?

Demain, les sociétés verront apparaître un être nouveau, un être qui n'aura rien renié de son moi profond mais qui sera ouvert à l'amour. Et je songe aux vers du poète indien Rabindranâth Tagore :

Ceux qui viennent avec du poison
Renvoie-les chez eux avec du nectar
Serre sur ton cœur, leurs cœurs qui ont péché !
Lève-toi, lumière de l'amour divin !
Brille sur ces yeux emplis de haine !

Hélas, aujourd'hui cet amour est bloqué dans des sociétés bloquées. L'amour est en désordre partout. Quand Narcisse s'est miré, l'onde lui a renvoyé son reflet et celui du monde qui l'entourait, ce monde idéalisé dans une image de calme et de perfection. Narcisse a trouvé cela beau mais cette quiétude a été troublée d'un seul geste de la main, comme notre univers est lui-même perturbé par des mains violentes. Essayons de retrouver ce calme, cette paix, essayons de trouver l'amour. Si, comme l'a dit un philosophe, « le monde est un immense narcisse en train de se penser », à quoi pense-t-il sinon à l'essence de toute chose : l'amour ?

Dans la Kabylie de mes origines, les champs de narcisses sont des chants d'amour que le Prophète envoie chaque printemps de ses gigantesques éternuements. Et lorsque des pas indifférents ou hostiles piétinent ces fleurs si pures, l'amour est endeuillé.

Mais au printemps prochain, les narcisses refleuriront. Et mon espoir.

TABLE DES MATIÈRES

Directrice littéraire
Huguette Maure

Graphiste
Pascal Vandeputte

Attachés de presse
Nathalie Ladurantie
Myriam Saïd-Errahmani

Hervé Lacroix

Impression réalisée sur CAMERON par
BRODARD ET TAUPIN
La Flèche

pour le compte des Éditions Michel Lafon
en août 1993

Imprimé en France
Dépôt légal : août 1993
N° d'édition : 0050 – N° d'impression : 6555H-5
ISBN : 2-908652-69-2